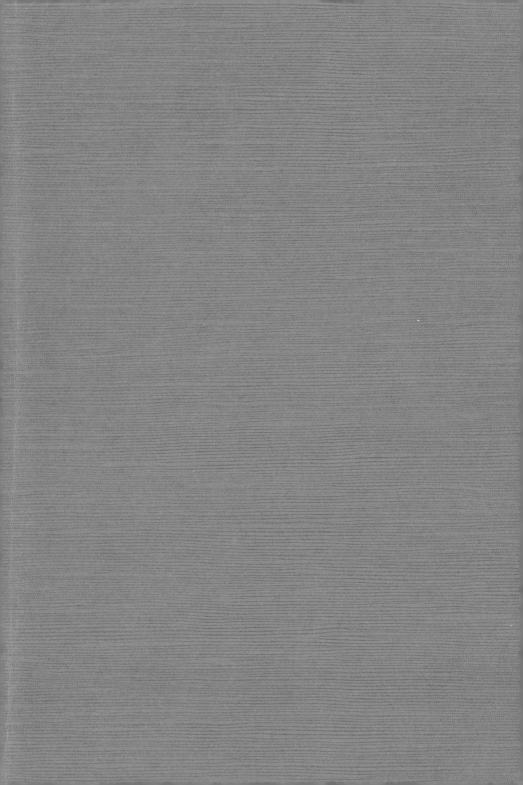

원문으로 읽고 듣는
오바마명연설집

OBAMA SAYS: CHANGE

원문으로 읽고 듣는
오바마명연설집

초판 3쇄 발행 2009년 4월 10일

기획 및 개발 배이직 BaEsic Contents House
발행인   이재명
발행처   삼지사
마케터   장영수 최준수
관리   김은주 이재희
디자인   배이직 강지현

출판등록   1983년 8월 1일 제4-6호
주소   서울특별시 중구 신당동 249-20 삼회빌딩 3층
             Tel. 02) 2234-4560/0733   Fax. 02) 2232-3710
홈페이지   www.samjisa.com

ISBN 978-89-7358-428-4   18740

정가 12,000원(MP3용 CD포함)
MP3 파일은 자사 홈페이지에서 무료 다운로드 받을 수 있습니다.

OBAMA SAYS: CHANGE

원문으로 읽고 듣는
오바마명연설집

배이직 컨텐츠하우스

SAMJI ▋▋▋ BOOKS

머리말

　제 44대 미국 대통령인 오바마는 케네디 대통령 이후 최고의 명 연설가로 평가받고 있습니다. 더욱이 오바마 대통령의 비전과 연설문은 언제나 링컨 대통령과 마틴 루터 킹 목사의 그것과 비교되고 있습니다. 이렇게 보면 오바마 대통령의 연설문에는 미국의 정신을 관통하고 있는 여러 가지 요소들이 한꺼번에 어우러져 새로운 세기를 기대하는 미국, 아니 전세계의 관심이 모여있다고 해도 과언이 아닙니다.

　잘 알려진 것처럼 인권 운동가 출신인 오바마의 연설에는 인간의 가치에 대한 강한 신뢰와 변화에 대한 열망 그리고 이에 다른 책임감이 균형 있게 자리잡고 있습니다.

　이 책에 수록된 대통령 취임 연설을 포함한 11개의 "오바마 스피치"는 앞서 말한 테마들이 상황과 주제에 따라 어떻게 바뀌어 표현되고 주장되는 지를 잘 보여주고 있습니다.

　이 "오바마 스피치"를 통해 참으로 격조 있는 영어의 맛을 느껴봄과 아울러 연설문들을 관통하고 있는 오바마의 가치를 함께 느껴볼 수 있기를 바랍니다.

　뒤의 두 연설은 오바마의 멘토라 할 수 있는 마틴 루터 킹 목사의 그 유명한 연설 "I Have a Dream"과 존 F. 케네디 대통령의 취임 연설을 각각 수록해 놓았습니다. 지난 세기와 금세기의 명연설을 비교하며 즐길 수 있는 기회가 될 것입니다.

차례

"There's not a liberal America
and a conservative America;
there's the United States of America."

거기에는 자유주의 미국도,
보수적인 미국도 아닌
오직 미합중국만 있을 뿐입니다.

January 20, 2009

Obama's Inaugural Address

"감사와 겸손의 18분"

오바마의 대통령 취임 연설은 불과 18분여의 시간이었지만
여느 역대 미국 대통령의 취임사보다 깊은 감동을 전해주었다는
평가를 받게 되었다. 그 연설에는 특별히 강렬한 문장은 없었지만
지금껏 오바마가 견지해온 두 가지의 태도,
즉 감사하는 마음과 겸손의 마음이 있었기 때문이다.

오바마의 연설과 함께 기억될 또 한명의 인물이 있는 데
그는 바로 스물일곱 살의 백인 청년 존 파브로이다.
44대 미국 대통령 연설문은 오바마가 구술하면 존 파브로가 그것을
문장으로 옮기는 것으로 완성되었다고 한다.
평소에 파브로는 오바마의 의중과 문체를 끊임없이 연구하는
노력을 멈추지 않았고 비로소 역대 최연소
대통령 취임 연설문 작성자의 기록을 남기게 되었다.

Obama's Inaugural Address

My fellow citizens:

I stand here today humbled by the task before us, grateful for the trust you have **bestowed**, **mindful** of the sacrifices borne by our ancestors. I thank President Bush for his service to our nation, as well as the generosity and cooperation he has shown throughout this transition.

Forty-four Americans have now **taken the** presidential **oath**. The words have been spoken during rising tides of prosperity and the still waters of peace. Yet, every so often the oath is taken amidst gathering clouds and raging storms. At these moments, America has **carried on** not simply because of the skill or vision of those in high office, but because We the People have remained faithful to the ideals of our forbearers, and true to our founding documents.

So it has been. So it must be with this generation of Americans.

That we are in the midst of crisis is now well understood. Our nation is at war, against a far-reaching network of violence and hatred. Our economy is badly weakened, a consequence of greed and irresponsibility on the part of some, but also our collective failure to make hard choices and prepare the nation for a new age. Homes have been lost; jobs **shed**; businesses **shuttered**.

오바마 취임 연설

MP3 track 01.

동료 시민 여러분.

저는 오늘 우리 앞에 놓여진 과제에 고개 숙이며, 여러분이 보내 주신 신뢰에 감사드리며, 우리 조상들이 치르신 희생에 유념하며 이 자리에 섰습니다. 저는 이 과도기에 줄곧 보여주신 관대함과 협력은 물론이고 우리나라를 위해 봉사해 주신 부시 대통령께 감사드립니다.

★   ★   ★

이제 마흔네 명의 미국인들이 대통령 선서를 하였습니다. 선서의 말은 밀물 같은 번영과 잔잔한 물결 같은 평화 속에서 낭독되었습니다. 그러나, 때때로 몰려오는 구름과 사나운 폭풍 한가운데서도 행하여졌습니다. 이러한 순간에, 미국은 단순히 높은 자리에 있는 사람들의 기교나 비전 때문이 아니라 우리 국민들이 우리 조상들의 이상에 충실했고 우리의 건국 기록에 진실했기 때문에 전진해 왔습니다.

미국은 그렇게 해 왔습니다. 미국은 이 세대의 미국인들과도 역시 그렇게 해야 합니다.

이제 우리가 위기의 한가운데에 있다는 것은 잘 이해되고 있습니다. 우리나라는 광범위한 네트워크를 보유한 폭력과 증오에 대항하여 전쟁을 치르고 있습니다. 우리 경제는 어떤 부분에서는 탐욕과 무책임의 결과로, 그러나 또한 새 시대를 위하여 어려운 선택을 하고 나라를 준비하는 것의 종합적인 실패로 대단히 약해진 상태입니다. 집을 잃었습니다. 직장은 사라졌습니다. 기업은 문을 닫았습니다.

word tip!

bestow 주다   mindful 유념하는   take the oath 선서를 하다   carry on 계속하다   shed 해고하다   shutter 폐쇄하다

Our health care is too costly; our schools fail too many; and each day brings further evidence that the ways we use energy strengthen our adversaries and threaten our planet.

These are the indicators of crisis, subject to data and statistics. Less measurable but no less profound is a sapping of confidence across our land - a nagging fear that America's decline is inevitable, and that the next generation must lower its sights.

Today I say to you that the challenges we face are real. They are serious and they are many. They will not be met easily or in a short span of time. But know this, America - they will be met.

On this day, we gather because we have chosen hope over fear, unity of purpose over conflict and discord.

On this day, we come to proclaim an end to the petty grievances and false promises, the recriminations and worn out dogmas, that for far too long have strangled our politics.

We remain a young nation, but in the words of Scripture, the time has come to set aside childish things. The time has come to reaffirm our enduring spirit; to choose our better history; to carry forward that precious gift, that noble idea, passed on from generation to generation: the God-given promise that all are equal, all are free, and all deserve a chance to pursue their full measure of happiness.

우리의 의료보험은 너무 비쌉니다. 학교는 실패를 거듭합니다. 그리고 매일같이 우리가 에너지를 사용하는 방법은 우리의 적을 강하게 만들고 우리의 지구를 위협한다는 추가 증거를 보내 옵니다.

이러한 것들은 자료와 통계화하기 쉬운 위기의 지표들입니다. 우리의 전 국토에 퍼진 자신감 약화, 즉 미국의 쇠퇴는 불가피하며 다음 세대는 눈을 낮춰야 한다는 계속되는 공포는 측정하기는 더 힘들지만 그 이상 깊습니다.

★ ★ ★

저는 오늘 우리가 직면한 도전들은 사실이라고 여러분들에게 말씀드립니다. 그것들은 심각하고 다양합니다. 그것들은 쉽게 또는 짧은 시간 안에 해결될 수 없습니다. 그러나 미국이여, 이것을 아십시오. 그것들은 해결될 수 있습니다.

오늘 우리는 공포보다는 희망을 선택했고, 갈등과 불화보다는 목표 통일을 선택했기 때문에 모였습니다.

오늘 우리는 너무 오랫동안 우리 정치를 목조였던 사소한 불만과 거짓 약속, 상호 비난과 낡은 독단에 종언을 선포하게 되었습니다.

우리는 젊은 국가로 남지만, 성경 구절에도 있듯 유치한 것들은 치워 버릴 때가 왔습니다. 인내의 정신을 재확인할 때가 왔습니다. 더 나은 역사를 선택하고, 세대를 거쳐 건네받은 그 귀중한 선물, 즉 그 고귀한 사상을 앞으로 전달하고, 모든 이는 평등하고, 모든 이는 자유롭고, 모든 이는 자신들의 완전한 행복을 추구할 기회를 가질 자격이 있다는 신이 주신 약속 말입니다.

word tip!

adversary 적 subject to ~하기 쉬운 sapping 약화 nag 끈질기게 괴롭히다 grievance 불평
recrimination 되받아 비난함 strangle 목졸라 죽이다

In reaffirming the greatness of our nation, we understand that greatness is never a given. It must be earned. Our journey has never been one of short-cuts or settling for less. It has not been the path for the faint-hearted - for those who prefer leisure over work, or seek only the pleasures of riches and fame. Rather, it has been the path for the risk-takers, the doers, the makers of things - some celebrated but more often men and women **obscure** in their labor, who have carried us up the long, rugged path towards prosperity and freedom.

For us, they packed up their few worldly possessions and traveled across oceans in search of a new life.

For us, they toiled in **sweatshops** and settled the West; endured the **lash** of the **whip** and plowed the hard earth.

For us, they fought and died, in places like Concord and Gettysburg; Normandy and Khe Sahn.

Time and again these men and women struggled and sacrificed and worked till their hands were **raw** so that we might live a better life. They saw America as bigger than the sum of our individual ambitions; greater than all the differences of birth or wealth or faction.

우리나라의 위대함을 재확인할 때, 우리는 그것은 누가 주는 것이 결코 아님을 이해합니다. 그것은 스스로의 힘으로 획득해야 합니다. 우리의 여정은 결코 지름길이나 적은 것으로 만족하는 것이 아니었습니다. 그것은 마음 약한 자들, 일보다 여가를 더 좋아하거나 부와 명성의 쾌락만을 추구하는 자들을 위한 길이 아니었습니다. 오히려, 위험을 감수한 사람들, 행동하는 사람들, 무엇이든 창조한 사람들을 위한 길이었습니다. 그중 일부는 축하받았지만 대개는 보이지 않는 곳에서 일한 사람들이야말로 번영과 자유를 향한 길고도 험한 길을 통해 우리를 발전시킨 사람들입니다.

★　★　★

우리를 위해서, 그들은 얼마 없는 세간살이를 싸서 새로운 인생을 찾아 대양을 건너 여행하였습니다.

우리를 위해서, 그들은 노동력 착취 공장에서 고된 일을 하고 서부에 정착했습니다. 채찍질을 견뎠고 단단한 땅을 갈았습니다.

우리를 위해서, 그들은 콩코드와 게티즈버그, 노르망디와 케산과 같은 곳에서 싸우고 죽었습니다.

★　★　★

몇 번이고 이 사람들은 우리들이 더 나은 삶을 살 수 있도록 손이 벗겨질 때까지 투쟁하고 희생하고 일했습니다. 그들은 미국을 우리 개인의 합보다 더 크게 보았습니다. 모든 출생이나 부나 파벌의 차이보다 더 크게 보았습니다.

This is the journey we continue today. We remain the most prosperous, powerful nation on Earth. Our workers are no less productive than when this crisis began. Our minds are no less **inventive**, our goods and services no less needed than they were last week or last month or last year. Our **capacity** remains undiminished. But our time of **standing pat**, of protecting narrow interests and putting off unpleasant decisions - that time has surely passed. Starting today, we must pick ourselves up, dust ourselves off, and begin again the work of remaking America.

For everywhere we look, there is work to be done. The state of the economy calls for action, bold and swift, and we will act - not only to create new jobs, but to lay a new foundation for growth. We will build the roads and bridges, the electric **grids** and digital lines that feed our commerce and bind us together. We will restore science to its rightful place, and **wield** technology's wonders to raise health care's quality and lower its cost. We will harness the sun and the winds and the soil to fuel our cars and run our factories. And we will transform our schools and colleges and universities to meet the demands of a new age. All this we can do. And all this we will do.

이것이 오늘 우리가 계속하는 여행입니다. 우리는 지구 상에서 가장 번영하고 강력한 국가로 남아 있습니다. 우리 근로자들은 이 위기가 시작될 때만큼 생산적입니다. 지난주 또는 지난달 또는 작년만큼 우리의 사고는 여전히 창의적이고 우리의 제품과 서비스는 필요합니다. 우리의 능력은 줄지 않고 남아 있습니다. 그러나 좁은 이해를 보호하고 불쾌한 결정을 미루려는 우리의 현상 유지적 시대는 분명히 지났습니다. 오늘부터 시작하여, 우리는 우리 자신을 일으켜세우고, 먼지를 털어내고, 미국을 다시 만드는 일을 다시 시작해야 합니다.

★　★　★

우리가 보는 모든 곳에 해야 할 일이 있습니다. 경제 상태는 대담하고 빠른 행동을 요구하며, 우리는 행동할 것입니다. 단지 새로운 일자리를 창출하기 위해서만이 아니고 성장을 위한 새로운 토대를 놓기 위해서 말입니다. 우리는 우리의 상거래를 촉진하고 우리를 함께 묶는 도로와 교량, 전기망과 디지털 통신선을 건설할 것입니다. 우리는 과학을 제자리에 되돌려놓고 의료보험의 질을 높이고 비용을 줄이기 위하여 기술의 경이로움을 활용할 것입니다. 우리는 자동차에 연료를 공급하고 공장을 돌리기 위하여 태양과 바람과 토양을 이용할 것입니다. 그리고 우리는 새 시대의 요구에 부응하기 위하여 우리의 학교와 전문 대학과 종합 대학을 변형시킬 것입니다. 이 모든 것을 우리는 할 수 있습니다. 이 모든 것을 우리는 할 것입니다.

word tip!

inventive 창의력 있는 capacity 재능 stand pat 현상유지하다 grid 망, 조직 wield 쓰다, 발휘하다

Now, there are some who question the scale of our ambitions - who suggest that our system cannot **tolerate** too many big plans. Their memories are short. For they have forgotten what this country has already done; what free men and women can achieve when imagination is joined to common purpose, and necessity to courage.

What the cynics fail to understand is that the ground has shifted beneath them - that the stale political arguments that have consumed us for so long no longer apply. The question we ask today is not whether our government is too big or too small, but whether it works - whether it helps families find jobs at a decent wage, care they can afford, a retirement that is dignified. Where the answer is yes, we intend to move forward. Where the answer is no, programs will end. And those of us who manage the public 's dollars will be held to **account** - to spend wisely, reform bad habits, and do our business in the light of day - because only then can we restore the vital trust between a people and their government.

Nor is the question before us whether the market is a force for good or ill. Its power to generate wealth and expand freedom is **unmatched**, but this crisis has reminded us that without a watchful eye, the market can spin out of control - and that a nation cannot prosper long when it favors only the prosperous.

이제 우리의 야망의 규모를 문제시하는 사람들이 좀 있습니다. 우리의 체제는 너무 많은 거대 계획을 참아내지 못할 것이라고 암시하는 사람들 말입니다. 그들은 기억력이 좋지 않습니다. 왜냐하면 그들은 이 나라가 이미 이룩해 온 것들을 잊었기 때문입니다. 상상력이 공동 목표와 필요성과 용기와 결합될 때 자유로운 사람들이 이룰 수 있는 것들 말입니다.

★　★　★

냉소주의자들이 이해하지 못하는 것은 기반이 그들 밑에서 이동했다는 사실, 즉 우리를 그렇게 오랫동안 소모해 왔던 낡은 정치적 논쟁은 더 이상 적용되지 않는다는 사실입니다. 우리가 오늘 묻는 질문은 우리 정부가 너무 큰지 아니면 너무 작은지에 관한 것이 아니라 그것이 통하는지의 여부입니다. 정부가 각 가정이 남부럽지 않은 임금의 직장, 감당할 수 있는 보험, 품위 있는 은퇴계획을 찾도록 도울 수 있는지의 여부인 것입니다. 그 대답이 "예"이면 우리는 앞으로 나아갈 의도가 있는 것입니다. 그 대답이 "아니오"면 프로그램은 끝날 것입니다. 그리고 국민의 돈을 관리하는 사람들은 현명하게 쓰고, 나쁜 버릇을 개혁하고, 햇빛 아래에서 일을 하도록 책임을 지게 될 것입니다. 왜냐하면 그렇게 될 때에만 우리는 국민과 그들의 정부 사이에 필수불가결한 신뢰를 회복할 수 있기 때문입니다.

시장이 선을 위한 동력인지 아니면 악을 위한 동력인지도 우리 앞에 놓여 있는 문제가 아닙니다. 부를 생산하고 자유를 확산하는 시장의 힘에는 적수가 없지만, 지켜보는 눈이 없으면 시장은 통제불능에 빠지고 국가가 오직 부유한 자들만 위한다면 오래 번영할 수 없다는 사실을 이번 위기는 상기시켜 줍니다.

word tip!

tolerate 참다　account 설명하다, 책임을 지다　unmatched 무적의

The success of our economy has always depended not just on the size of our Gross Domestic Product, but on the reach of our prosperity; on our ability to extend opportunity to every willing heart - not out of charity, but because it is the surest route to our common good.

As for our common defense, we reject as false the choice between our safety and our ideals. Our Founding Fathers, faced with perils we can scarcely imagine, drafted a **charter** to assure the rule of law and the rights of man, a charter expanded by the blood of generations. Those ideals still light the world, and we will not give them up for **expedience**'s sake. And so to all other peoples and governments who are watching today, from the grandest capitals to the small village where my father was born: know that America is a friend of each nation and every man, woman, and child who seeks a future of peace and dignity, and that we are ready to lead once more.

Recall that earlier generations faced down fascism and communism not just with missiles and tanks, but with **sturdy** alliances and enduring convictions. They understood that our power alone cannot protect us, nor does it entitle us to do as we please.

경제의 성공은 항상 국내총생산의 규모뿐만이 아니라 번영의 확산에 달려 있습니다. 모든 의욕 있는 사람들에게 기회를 확대하는 능력 말입니다. 그것은 자선의 동기 때문이 아니라 그것은 공동 이익을 위한 가장 확실한 길이기 때문입니다.

★　★　★

　우리의 공동 방위에 관해 말하면, 우리는 안전과 이상 사이의 택일은 틀린 것으로 거부합니다. 우리의 건국의 아버지들은 우리가 거의 상상할 수 없는 위험에 직면해서도, 수세대를 거쳐 피로써 확산된, 법의 지배와 인간의 권리를 보장하는 헌장을 입안하였습니다. 그러한 이상들은 아직도 세계를 비추며, 우리는 편의를 위해 그것들을 포기하지 않을 것입니다. 따라서 오늘 이 취임식을 보고 있는, 최대규모의 수도에서부터 저희 아버지가 태어나신 작은 마을에 이르기까지, 모든 다른 나라의 국민과 정부에게 말합니다. 미국은 평화와 존엄의 미래를 추구하는 각 나라와 모든 남녀, 어린이의 친구라는 것을, 그리고 우리는 다시 한 번 이끌어 갈 준비가 되어 있다는 것을 알아 주십시오.

★　★　★

　이전 세대들은 파시즘과 공산주의를 단지 미사일과 탱크만이 아니라 굳은 동맹과 인내력 있는 신념으로 겪었다는 것을 상기하십시오. 그들은 힘만 가지고서는 우리를 보호할 수 없고, 우리 마음대로 할 권리가 생기는 것도 아니라는 것을 이해했습니다.

word tip!
charter 헌장 expedience 편의 sturdy 억센, 튼튼한

Instead, they knew that our power grows through its prudent use; our security **emanates** from the justness of our cause, the force of our example, the **tempering** qualities of humility and restraint.

We are the keepers of this legacy. Guided by these principles once more, we can meet those new threats that demand even greater effort - even greater cooperation and understanding between nations. We will begin to responsibly leave Iraq to its people, and forge a hard-earned peace in Afghanistan. With old friends and former foes, we will work tirelessly to lessen the nuclear threat, and roll back the specter of a warming planet. We will not apologize for our way of life, nor will we waver in its defense, and for those who seek to advance their aims by inducing terror and slaughtering innocents, we say to you now that our spirit is stronger and cannot be broken; you cannot outlast us, and we will defeat you.

For we know that our patchwork heritage is a strength, not a weakness. We are a nation of Christians and Muslims, Jews and Hindus - and non-believers.

그들은 우리들의 힘은 신중한 사용을 통하여 증대된다는 것을 알고 있었습니다. 우리의 안보는 우리 대의의 정당함과 우리의 모범의 힘과 겸손과 자제의 유연한 성질에서 나오는 것입니다.

우리는 이 유산을 지키는 사람들입니다. 이러한 원칙에 인도되어, 우리는 훨씬 더 큰 노력, 즉 훨씬 더 큰 협력과 국가간의 이해를 요구하는 새로운 위협에 대응할 수 있습니다. 우리는 책임있게 이라크를 그 국민들에게 넘겨주기 시작할 것이며 아프가니스탄에서 힘들게 얻은 평화를 이룰 것입니다. 오랜 친구들과 옛 적들과 함께 우리는 핵위협을 줄이기 위해 끊임없이 일할 것이며, 더워지는 지구의 유령을 격퇴할 것입니다. 우리는 우리의 삶의 방식에 대하여 사과하지 않을 것이며, 그 방어에도 흔들리지 않을 것입니다. 그리고 테러와 무고한 사람들의 살해를 부추김으로써 그들의 목표를 추구하고자 하는 자들에게 말합니다. 우리의 정신은 더 강해졌고 깨뜨릴 수 없게 되었으니 당신들은 우리를 능가할 수 없으며, 우리는 당신들을 격퇴할 것입니다.

★　★　★

왜냐하면 우리는 우리의 잡동사니 유산이 강점이지 약점이 아니라는 점을 알고 있기 때문입니다. 우리는 기독교도와 회교도, 유대인과 힌두교도, 그리고 무신론자들의 국가입니다.

word tip!
emanate 나오다 tempering 유연한

We are shaped by every language and culture, drawn from every end of this Earth; and because we have tasted the bitter swill of civil war and segregation, and **emerged** from that dark chapter stronger and more united, we cannot help but believe that the old hatreds shall someday pass; that the lines of tribe shall soon dissolve; that as the world grows smaller, our common humanity shall reveal itself; and that America must play its role in **ushering** in a new era of peace.

To the Muslim world, we seek a new way forward, based on mutual interest and mutual respect. To those leaders around the globe who seek to sow conflict, or **blame** their society's ills **on** the West - know that your people will judge you on what you can build, not what you destroy. To those who cling to power through corruption and deceit and the silencing of **dissent**, know that you are on the wrong side of history; but that we will extend a hand if you are willing to **unclench** your fist.

To the people of poor nations, we pledge to work alongside you to make your farms flourish and let clean waters flow; to nourish starved bodies and feed hungry minds. And to those nations like ours that enjoy relative plenty, we say we can no longer afford **indifference** to suffering outside our borders; nor can we consume the world's resources without regard to effect.

우리는 지구 구석구석에서 모인 모든 언어와 문화로 형성되었습니다. 그리고 우리는 내란과 인종 차별이라는 쓴 잔을 맛보았으며, 그 어두운 장으로부터 더욱 강하고 더욱 단결되어 솟아올랐기 때문에 그 낡은 증오는 언젠가 사라질 것이라고 믿지 않을 수 없습니다. 종족 구분은 곧 녹아내릴 것이며, 세계가 더 작아질수록 우리의 공통 인간애는 모습을 드러낼 것이며, 미국은 평화의 새 시대를 안내하는 역할을 해야 하는 것입니다.

이슬람 세계에 말합니다. 우리는 상호 이해와 상호 존중을 바탕으로 새로운 전진의 길을 찾습니다. 갈등의 씨를 뿌리거나 자신들 사회의 악습을 서구의 탓으로 돌리려는 전 세계의 지도자들에게 고합니다. 당신들의 국민들은 당신들이 파괴하는 것이 아니라 건설하는 것으로 당신들을 판단한다는 것을 알아두십시오. 부패와 기만과 반대자를 침묵시킴으로써 권력에 집착하는 자들에게 고합니다. 당신들은 역사의 그릇된 편에 서 있다는 것을 아십시오. 그러나 당신들이 주먹을 푼다면 우리는 손을 내밀 것입니다.

★ ★ ★

가난한 국가의 국민들에게 말합니다. 당신들의 농장이 번성하고 깨끗한 물이 흐를 수 있도록, 굶주린 몸에 영양을 주고 배고픈 정신을 채울 수 있도록, 우리는 당신들과 나란히 일할 것을 맹세합니다. 그리고 상대적 풍요를 누리는 우리와 같은 국가에게 말합니다. 우리는 우리 국경 밖의 고통에 더 이상 무관심할 수 없으며, 결과에 상관없이 세계의 자원을 소비해 버릴 수도 없습니다.

word tip!

emerge 나오다 usher 안내하다 blame sth on~ 을 ~탓으로 돌리다 dissent 반대자 unclench 펴다
indifference 무관심

For the world has changed, and we must change with it.

As we consider the road that **unfolds** before us, we remember with humble gratitude those brave Americans who, at this very hour, patrol far-off deserts and distant mountains. They have something to tell us today, just as the fallen heroes who lie in Arlington whisper through the ages.

We honor them not only because they are guardians of our liberty, but because they embody the spirit of service; a willingness to find meaning in something greater than themselves. And yet, at this moment - a moment that will define a generation - it is precisely this spirit that must **inhabit** us all.

For as much as government can do and must do, it is ultimately the faith and determination of the American people upon which this nation relies. It is the kindness to take in a stranger when the **levees** break, the selflessness of workers who would rather cut their hours than see a friend lose their job which sees us through our darkest hours. It is the firefighter's courage to storm a stairway filled with smoke, but also a parent's willingness to **nurture** a child, that finally decides our fate.

왜냐하면 세계는 변화했기 때문이며 우리도 그와 함께 변화해야 하기 때문입니다.

★ ★ ★

우리가 우리 앞에 펼쳐진 길을 고려할 때, 우리는 겸손한 감사로써 바로 지금 이 시간 머나먼 사막과 산을 순찰하는 용감한 미국인들을 기억합니다. 스러진 영웅들이 알링턴 국립묘지에서 오랜 세월 동안 속삭이듯 그들도 오늘 우리에게 할 말이 있습니다.

우리는 단지 그들이 우리의 자유의 수호자이기 때문이 아니라 봉사 정신을 실현하기 때문에 그들을 추앙합니다. 자신들보다 더 큰 무언가에서 의미를 찾는 의지 말입니다. 그러나 지금 이 순간, 한 세대를 정의할 순간에 우리 모두에게 살아 숨 쉬어야 할 것은 바로 이 정신입니다.

왜냐하면 정부가 할 수 있고 해야 하는 것만큼이나 이 나라가 궁극적으로 의지하는 것은 미 국민들의 신념과 결단이기 때문입니다. 우리의 가장 어두운 시간을 극복하게 해주는 것은 부두가 무너졌을 때 낯선 사람을 받아 주는 친절, 친구가 직장을 잃는 것을 보느니 차라리 자신의 근로 시간을 줄이는 근로자들의 이타심입니다. 결국 우리의 운명을 결정하는 것은 연기로 가득찬 계단을 뚫고 가는 소방대원의 용기뿐만 아니라 아이를 양육하는 부모의 의지이기도 합니다.

word tip!
unfold 펴다　inhabit ∼에 살다, ∼에 존재하다　levee 부두　nurture 양육하다

Our challenges may be new. The instruments with which we meet them may be new. But those values upon which our success depends - hard work and honesty, courage and fair play, tolerance and curiosity, loyalty and patriotism - these things are old. These things are true. They have been the quiet force of progress throughout our history. What is demanded then is a return to these truths.

What is required of us now is a new era of responsibility - a **recognition, on the part of** every American, that we have duties to ourselves, our nation, and the world, duties that we do not **grudgingly** accept but rather seize gladly, firm **in the knowledge** that there is nothing so satisfying to the spirit, so defining of our character, than giving our all to a difficult task.

This is the price and the promise of citizenship.

This is the source of our confidence - the knowledge that God calls on us to shape an uncertain destiny.

This is the meaning of our liberty and our creed - why men and women and children of every race and every faith can join in celebration across this magnificent mall, and why a man whose father less than sixty years ago might not have been served at a local restaurant can now stand before you to take a most sacred oath.

우리의 도전은 새로울지 모릅니다. 거기에 대응하는 우리의 수단도 새로울지 모릅니다. 그러나 우리의 성공이 의존하는 가치들, 즉 근면과 정직, 용기와 페어 플레이, 관용과 호기심, 충성심과 애국심, 이러한 것들은 오래된 것입니다. 이러한 것들은 참된 것입니다. 그것들은 우리의 역사를 통하여 진보의 조용한 힘이었습니다. 따라서 요구되는 것은 이러한 진실로 돌아가는 것입니다.

지금 우리에게 요구되는 것은 책임의 새 시대입니다. 우리에게는 우리 자신, 우리 나라, 그리고 세계에 대한 의무, 마지못해 승락하는 게 아닌 기꺼이 받아들이는 의무가 있다는, 모든 미국인의 편에서 인정하는 책임을 말합니다. 우리의 모든 것을 어려운 책무에 바치는 것보다 더 영혼에 만족스럽고, 더 우리의 인격을 확정하는 것은 없다는 것을 확실히 알고 있는 책임을 말합니다.

★ ★ ★

이것이 시민이 치르는 대가이고 받게 되는 약속입니다.

이것이 우리의 확신의 원천입니다. 신이 우리에게 불확실한 운명을 형성하라고 요구했음을 아는 것 말입니다.

이것이 우리의 자유와 우리의 신념의 의미입니다. 모든 인종과 모든 믿음을 가진 남성들과 여성들과 어린이들이 이 장대한 의사당을 가로질러 기념식에 참가할 수 있고, 60년도 채 안되었을 예전에는 동네 식당에서도 거부당했을 사람의 아들이 지금 여러분들 앞에 서서 가장 신성한 선서를 할 수 있는 이유입니다.

word tip!

recognition 인정 on the part of ~의 편에서는, ~의 측에서는 grudgingly 마지못해 in the knowledge 알고 있는

So let us mark this day with remembrance, of who we are and how far we have traveled. In the year of America's birth, in the coldest of months, a small band of patriots huddled by dying campfires on the shores of an icy river. The capital was abandoned. The enemy was advancing. The snow was stained with blood.

At a moment when the outcome of our revolution was most **in doubt**, the father of our nation ordered these words be read to the people:

"Let it be told to the future world... that in the depth of winter, when nothing but hope and virtue could survive... that the city and the country, alarmed at one common danger, came forth to meet [it]."

America. In the face of our common dangers, in this winter of our hardship, let us remember these timeless words. With hope and **virtue**, let us brave once more the icy currents, and endure what storms may come. Let it be said by our children's children that when we were tested we refused to let this journey end, that we did not turn back nor did we **falter**; and with eyes fixed on the horizon and God's grace upon us, we carried forth that great gift of freedom and delivered it safely to future generations.

Thank you, God bless you, God bless the United States of America.

따라서 우리는 누구인가 그리고 얼마나 멀리 여행해 왔나를 기억하며 이 날을 새깁시다. 미국이 탄생한 해에, 가장 추운 달, 일단의 애국자들이 얼음이 언 강변에서 꺼져 가는 모닥불 앞에 모여들었습니다. 수도는 버려졌습니다. 적은 전진해 왔습니다. 눈은 피로 얼룩졌습니다.

우리의 혁명의 결과가 매우 의심스러워진 순간에 우리 나라의 국부는 이 말을 사람들이 읽으라고 명령했습니다.

★　★　★

"그 이야기가 장차 세상에 알려지게 하라… 한겨울에 희망과 미덕 외에는 아무것도 살아남을 수 없을 때… 도시와 시골은 공동의 위험에 놀라 앞으로 나서서 [그에] 맞섰다."

★　★　★

미국이여. 우리의 공동 위험을 맞아서, 우리의 고난의 겨울에, 이 영원한 말을 기억합시다. 희망과 미덕으로 다시 한 번 얼음 해류에 용감히 맞서고 다가올 폭풍우를 견뎌 냅시다. 우리의 아이들의 아이들이 얘기하게 합시다. 우리가 시험받았을 때 우리는 이 여행을 끝내기를 거부했고, 우리는 돌아서지도 흔들리지도 않았다. 눈을 수평선에 고정시키고 신의 은총을 받으며 우리는 그 자유라는 위대한 선물을 앞으로 가지고 나갔고 미래 세대에게 그것을 안전하게 전달했다.

감사합니다. 신이여 여러분을 축복하소서. 신이여 미국을 축복하소서.

word tip!

in doubt 의심하여　virtue 미덕　falter 비틀거리다

Election Night
Victory Speech

"인간에 대한 배려에서 시작되는 리더십"

오바마의 연설문에는 약자와 소외계층에 대한 깊이 있는애정과 배려심이 있다. 그는 대통령 당선 연설에서 "메인스트리트(Main street 시민층)의 고통으로 월스트리트(Wall street 부유층)가 풍요를 누려서는 안 된다"고 말하면서 "우리가 맞닥뜨린 도전에 대해 여러분에게 솔직하게 말할 것이며 여러분과 의견이 일치하지 않을 때 더욱 더 여러분의 의견에 귀 기울이겠다"라며 일반 시민에 대한 각별한 동지 의식을 선언했다.

그러면서 그는 인간에 대한 믿음과 미래에 대한 낙관적인 태도를 결코 버리지 않았다. 링컨 대통령이 자신을 철저히 무시해온 정적 스탠턴을 여당의 반대에도 불구하고 전시 국방장관으로 임명한 것처럼 오바마도 후보 경선의 최대 정적이었던 힐러리 클린턴 상원의원과 부시 행정부의 게이츠 국방장관 같은 경쟁자들을 내각에 과감히 끌어들이는 포용력을 보여주고 있다. 이것은 그가 "우리는 할 수 있습니다.(Yes, We can)"라는 자신의 말처럼 얼마나 긍정적이며 낙관적인 사고를 지고 있는 지를 잘 보여 준다.

If there is anyone out there who still doubts that America is a place where all things are possible; who still wonders if the dream of our founders is alive in our time; who still questions the power of our democracy, tonight is your answer.

It's the answer told by lines that stretched around schools and churches **in numbers** this nation has never seen; by people who waited three hours and four hours, many for the very first time in their lives, because they believed that this time must be different; that their voice could be that difference.

It's the answer spoken by young and old, rich and poor, Democrat and Republican, black, white, Latino, Asian, Native American, gay, **straight**, disabled and not disabled – Americans who sent a message to the world that we have never been a collection of Red States and Blue States: we are, and always will be, the United States of America.

It's the answer that led those who have been told for so long by so many to be **cynical**, and fearful, and doubtful of what we can achieve to put their hands on the **arc** of history and bend it once more toward the hope of a better day.

미국 대통령 당선 연설문

MP3 track 02.   http://kr.youtube.com/watch?v=JII5baCAaQU

아직도 미국이 모든 일들이 가능한 나라라는 것을 의심하는 사람이 있다면, 그리고 아직도 이 나라의 선조들이 꾸었던 꿈들이 이 시대에 살아 있는지를 의심하는 사람이 있다면, 그리고 또한 민주주의의 힘을 믿지 못하는 사람들이 있다면, 오늘 밤이 그 해답입니다.

결코 지금까지 우리가 보지 못했던 역사상 유례가 없는 최다 투표율로 학교와 교회들 주변에 늘어선 긴 줄들, 서너 시간을 투표하기 위해 기다렸던 사람들, 그리고 이 시대가 변화해야 한다고 믿으며, 자신의 목소리가 바로 그 변화를 만들어 낼 수 있다는 믿음으로 난생처음으로 투표했던 사람들이 그 의문들에 대한 해답입니다.

젊은이와 노인들, 가난한 사람들과 부자들, 민주당과 공화당, 흑인, 백인, 라틴계 미국인, 동양인, 아메리카 인디언, 동성애자, 비동성애자, 장애인들, 비장애인들이 미국은 결코 붉은 주(공화당)와 푸른 주(민주당)의 집합이 아니라는 메시지를 전 세계로 보낸 것이 바로 그 의문에 대한 해답입니다. 우리는 현재에도 그리고 미래에도 언제나 미합중국입니다.

그것은 우리가 무엇을 이루어 낼 수 있을지에 대하여 냉소적이고 두려워하며 의심을 가졌던 사람들에 의하여 너무나 오랜 동안 세뇌되어 왔던 이들을 이끌어 내어 역사의 수레를 밀게 함으로써 이 세상을 더 나은 미래를 위한 희망으로 한 번 더 방향을 틀게 하는 것이 바로 그 해답입니다.

---

word tip!

in numbers 다수로   straight 이성애자   cynical 냉소적인   arc 호, 궤도

It's **been a long time coming**, but tonight, because of what we did on this day, in this election, at this defining moment, change has come to America.

I just received a very **gracious** call from Senator McCain. He fought long and hard in this campaign, and he's fought even longer and harder for the country he loves. He has endured sacrifices for America that most of us cannot begin to imagine, and we are better off for the service **rendered** by this brave and selfless leader. I congratulate him and Governor Palin for all they have achieved, and I look forward to working with them to renew this nation's promise in the months ahead.

I want to thank my partner in this journey, a man who campaigned from his heart and spoke for the men and women he grew up with on the streets of Scranton and rode with on that train home to Delaware, the Vice President-elect of the United States, Joe Biden.

여기까지 오는 데 오랜 세월이 걸렸습니다. 그러나 오늘 밤, 우리가 오늘 이러한 선거일에, 투표 결과가 명확해진 바로 이 순간에 행한 일 덕분에, 미국에는 변화가 찾아왔습니다.

★　★　★

저는 방금 매케인 의원님으로부터 아주 정중한 전화 한 통을 받았습니다. 그는 이 선거 유세에서 오랫동안 열심히 싸워 주셨으며, 그가 사랑하는 이 나라를 위해서는 더욱이 오랫동안 열심히 싸워 주셨습니다. 그는 나라를 위해 우리 대부분이 상상도 할 수 없는 희생을 하셨으며, 우리는 이러한 용감하고 사심 없는 지도자의 봉사 덕분에 더 잘살고 있습니다. 저는 그와 페일린 부지사가 이루었던 모든 업적에 경하를 드립니다. 그리고 저는 앞으로 다가올 장래에 미국을 새롭게 하기 위해 그들과 함께 일하기를 학수고대하고 있습니다.

★　★　★

저는 이러한 여정 동안 함께해 주었던 동료이자, 진심으로 이 선거 유세를 이끌며, 그가 자라왔던 스크랜턴 거리의 모든 분들을 대표하여 델라웨어로 향하는 고향 기차에 몸을 실었던 미합중국의 부통령 조 바이든에게 감사를 표하고자 합니다.

word tip!

be a long time ~ing ～하는 데 시간이 많이 걸리다　gracious 정중한　render (서비스)를 하다

I would not be standing here tonight without the **unyielding** support of my best friend for the last sixteen years, the rock of our family and the love of my life, our nation's next First Lady, Michelle Obama. Sasha and Malia, I love you both so much, and you have earned the new puppy that's coming with us to the White House. And while she's no longer with us, I know my grandmother is watching, along with the family that made me who I am. I miss them tonight, and know that my debt to them is **beyond measure**.

To my campaign manager David Plouffe, my chief strategist David Axelrod, and the best campaign team ever assembled in the history of politics – you made this happen, and I am forever grateful for what you've sacrificed to get it done.

But above all, I will never forget who this victory truly belongs to – it belongs to you.

I was never the **likeliest** candidate for this office. We didn't start with much money or many **endorsements**. Our campaign was not **hatched** in the halls of Washington – it began in the backyards of Des Moines and the living rooms of Concord and the front porches of Charleston.

지난 16년 동안 저의 가장 친한 친구, 우리 가족의 대들보이며, 제 필생의 사랑, 그리고 우리나라의 퍼스트레이디인 미셸 오바마의 한결같은 지지가 없었다면 저는 오늘 밤 이 자리에 서지 못했을 것입니다. 사샤와 말리아, 둘 다 정말 사랑한다. 그리고 백악관으로 이사가면서 그 새로운 가족이 된 강아지와 함께하자꾸나.

그리고 저는 더 이상 우리와 함께 있지는 않지만, 오늘의 저를 만들어 준 가족과 함께, 저의 할머니께서 우리를 지켜보고 있음을 알고 있습니다. 저는 오늘 밤 그들이 그립습니다. 그리고 저는 제가 그들에게 진 빚이 헤아릴 수 없을 만큼 크다는 것도 알고 있습니다.

★　★　★

저는 저의 선거 유세 매니저인 데이빗 플러프와 저의 수석 참모인 데이빗 액슬로드, 그리고, 이제까지 꾸려졌던 선거 유세 팀 중에서 정치 역사상 가장 뛰어난 유세 팀에게도 감사드리고 싶습니다. 여러분들이 이 일을 가능케 했습니다. 저는 이 일을 이루기 위해 여러분들이 희생했던 바들을 영원히 감사하며 살 것입니다.

★　★　★

그러나 무엇보다도 우선, 저는 이 승리가 누구의 것인지 결코 잊지 않을 것입니다. 바로 국민 여러분의 것이라는 사실을 말입니다.

저는 대통령이라는 공직을 맡기에 전혀 가망이 없는 후보였습니다. 저희는 충분한 자금도, 충분한 지지도 없이 시작했습니다. 우리의 선거 유세는 워싱턴 정가에서 태동한 것이 아닙니다. 저희의 선거 유세는 디모인의 뒷마당, 콩코드의 거실, 그리고 찰스턴의 현관에서 탄생했습니다.

word tip!

unyielding 불굴의 beyond measure 헤아릴 수 없을 정도로 likely 가망 있는 endorsement 지지(표명)
hatch 기획하다

It was built by working men and women who **dug into** what little savings they had to give five dollars and ten dollars and twenty dollars to this cause. It grew strength from the young people who rejected the myth of their generation's **apathy**; who left their homes and their families for jobs that offered little pay and less sleep; from the not-so-young people who **braved** the bitter cold and **scorching** heat to knock on the doors of perfect strangers; from the millions of Americans who volunteered, and organized, and proved that more than two centuries later, a government of the people, by the people and for the people has not **perished** from this Earth. This is your victory. I know you didn't do this just to win an election and I know you didn't do it for me. You did it because you understand the **enormity** of the task that lies ahead. For even as we celebrate tonight, we know the challenges that tomorrow will bring are the greatest of our lifetime – two wars, a planet in peril, the worst financial crisis in a century. Even as we stand here tonight, we know there are brave Americans waking up in the deserts of Iraq and the mountains of Afghanistan to risk their lives for us. There are mothers and fathers who will lie awake after their children fall asleep and wonder how they'll **make** the mortgage, or pay their doctor's bills, or save enough for college. There is new energy to **harness** and new jobs to be created; new schools to build and threats to meet and alliances to repair.

저희의 선거 유세는 열심히 일하는 국민 여러분이 근근이 모아 두었던 돈 5달러, 10달러, 그리고 20달러씩을 기부하면서 꾸려지기 시작했습니다. 저희의 선거 유세는 자신의 세대는 정치에 무관심하다고 하는 신화를 거부한 젊은이들의 파워 덕분에 자라게 되었습니다. 거의 보수도 없고 잠도 제대로 잘 수 없는 그런 일을 위해 자신의 가정과 가족을 떠난 사람들, 생면부지의 낯선 사람들의 문을 두들기기 위해 혹독한 추위와 불볕더위를 견딘 나이 지긋한 연배의 사람들, 그리고 자원해서 조직을 꾸리고 200년 이상의 세월이 지난 지금 국민의, 국민에 의한, 국민을 위한 정부는 사라지지 않았음을 입증한 수백만 명의 미국인들에 의해서 말입니다. 이것은 여러분들의 승리입니다. 저는 여러분이 단지 선거에 이기기 위해서, 그리고 단지 저를 위해서 이러한 일을 하지 않았다는 것을 알고 있습니다. 여러분은 우리 앞에 놓인 과제들이 얼마나 엄청난지를 이해하고 있기 때문에 이 일을 해냈습니다. 오늘 우리가 오늘밤의 승리를 축하하는 동안에도, 우리는 내일이 가져올 시련이 우리 일생에서 가장 힘들 것이라는 사실을 알고 있습니다. 즉, 두 개의 전쟁, 위기에 처한 지구, 그리고 100년 만에 닥쳐온 가장 심각한 금융 위기 등의 시련 말입니다. 오늘 밤 우리는 이 자리에 서 있지만, 우리는 우리를 위해 아프가니스탄의 산지와 이라크의 사막에서 잠 못 들며 목숨을 걸고 싸우고 있는 용감한 미국인들이 있다는 사실을 알고 있습니다. 아이들이 잠든 후에도 어떻게 담보 대출을 받을까, 또는 어떻게 병원비를 낼까, 또는 어떻게 대학 학비를 마련할까 등의 문제로 잠들지 못하는 부모들이 있습니다. 이용할 수 있는 새로운 에너지와 새롭게 만들어질 일자리가 있고, 새로 지어야 할 학교와 대적해야 할 위협과 손봐야 할 동맹 관계 등이 있습니다.

word tip!

dig into 쓰다, 내다   apathy 냉담, 무관심   brave 용감히 맞서다   scorch 태우다   perish 소멸하다
enormity 거대함   make 벌다, 마련하다   harness 이용하다

The road ahead will be long. Our climb will be steep. We may not get there in one year or even one **term**, but America – I have never been more hopeful than I am tonight that we will get there. I promise you – we as a people will get there.

There will be **setbacks** and **false starts**. There are many who won't agree with every decision or policy I make as President, and we know that government can't solve every problem. But I will always be honest with you about the challenges we face. I will listen to you, especially when we disagree. And above all, I will ask you to join in the work of remaking this nation the only way it's been done in America for two-hundred and twenty-one years – block by block, brick by brick, **calloused** hand by calloused hand.

What began twenty-one months ago **in the depths of** winter must not end on this autumn night. This victory alone is not the change we seek – it is only the chance for us to make that change. And that cannot happen if we go back to the way things were. It cannot happen without you.

우리가 앞으로 나아가야 할 길은 먼 여정이 될 것입니다. 우리의 길은 험준할 것입니다. 우리가 그곳에 1년, 혹은 제 임기 동안에도 도달하지 못할 수도 있으나, 국민 여러분, 저는 오늘 밤만큼이나 틀림없이 우리가 그곳에 도착할 수 있으리라는 커다란 희망에 찼던 적이 없습니다. 한 국민으로서 우리는 그곳에 도착할 것입니다.

★　★　★

　　후퇴와 시행착오가 있을 것입니다. 제가 대통령으로서 내리는 모든 결정과 정책에 반대하는 자들이 많이 있을 것입니다. 그리고 우리는 정부가 모든 문제를 해결할 수 없다는 사실을 알고 있습니다. 그러나 저는 우리에게 닥친 난제들에 대하여 여러분에게 항상 정직하게 말씀드릴 것입니다. 여러분의 의견에 귀를 기울일 것이며, 특히 서로의 의견이 다를 때에 그리하겠습니다. 그리고 무엇보다 저는 이 나라를 다시 재건하는 데 국민 여러분들의 참여를 부탁할 것입니다. 미국이 221년 동안 해왔던 그 방식 그대로, 벽돌 하나씩, 차근차근 하나씩 못이 박인 손을 서로 잡고 말입니다.

★　★　★

　　21개월 전 한겨울 추위에 시작되었던 것들이 오늘 이 가을밤에 끝나서는 안 됩니다. 오늘의 승리는 우리가 구하는 변화의 전부가 아닙니다. 오늘의 승리는 우리가 그러한 변화를 이룰 기회일 뿐입니다. 우리가 예전의 방식으로 돌아간다면 그러한 일은 일어나지 않을 것입니다. 그러한 일은 국민 여러분 없이는 이루어질 수 없는 것입니다.

word tip!

term 임기　setback 좌절　false start 부정 출발　callous 못, 못박히게 하다　in the depth of ~의 한가운데

So let us **summon** a new spirit of patriotism; of service and responsibility where each of us **resolves** to **pitch in** and work harder and look after not only ourselves, but each other. Let us remember that if this financial crisis taught us anything, it's that we cannot have a thriving Wall Street while Main Street suffers – in this country, we rise or fall as one nation; as one people.

Let us resist the temptation to **fall back** on the same **partisanship** and pettiness and immaturity that has poisoned our politics for so long. Let us remember that it was a man from this state who first carried the banner of the Republican Party to the White House – a party founded on the values of self-reliance, individual liberty, and national unity. Those are values we all share, and while the Democratic Party has won a great victory tonight, we do so with a measure of humility and determination to heal the divides that have **held back** our progress. As Lincoln said to a nation far more divided than ours, "We are not enemies, but friends… though passion may have **strained** it must not break our **bonds** of **affection**." And to those Americans whose support I have yet to earn – I may not have won your vote, but I hear your voices, I need your help, and I will be your President too.

그러므로 우리는 새로운 애국심을 고취합시다. 그리고 우리 각자가 협력하여 더욱더 열심히 일하고 우리 스스로뿐만 아니라 서로를 보살펴 주는 새로운 봉사 정신과 책임감을 고취합시다. 이 금융 위기가 우리에게 가르쳐 주는 것이 있다면, 그것은 국민 여러분이 고생하는 한 월스트리트 또한 잘될 수 없다는 것입니다. 이 나라에서 우리는 하나의 국민으로 흥망성쇠를 겪습니다. 하나의 민족으로 말입니다.

★　★　★

그토록 오랫동안 우리의 정치를 망쳤던 똑같은 당파성, 편협성 그리고 아마추어 적인 상태로 돌아가고자 하는 유혹을 이겨 냅시다. 우리는 최초로 공화당의 깃발을 들고 백악관으로 입성한 사람이 일리노이 주 출신의 사람(에이브러햄 링컨을 지칭함)이란 사실을 기억합시다. 우리는 자주, 개인의 자유, 그리고 국가 단합을 이념으로 한 당을 기억합시다. 그러한 가치들은 우리 모두가 공감하는 가치들입니다. 그리고 오늘 밤 민주당이 위대한 승리를 거두었지만 우리는 우리의 발전을 방해하는 분열을 치유하기 위해 한없는 겸손함과 결단력으로 그리 하고자 합니다. 링컨 대통령께서 현재의 상황보다 훨씬 더 분열된 국민을 앞에 두고 말했듯이, "우리는 적이 아니라 친구입니다. 열정이 비록 뒤틀린 모습으로 나왔다고 해도, 그것이 애정의 결속력을 깨트러서는 안 됩니다." 제가 아직 지지를 얻지 못하고 있는 분들에게 말씀드린다면, 제가 여러분의 표는 얻지 못했을지라도 저는 여러분의 목소리를 들을 수 있습니다. 저는 여러분들의 도움이 필요합니다. 저는 또한 여러분들의 대통령이 될 것입니다.

word tip!

summon 소집하다, 모으다　resolve 결심하다　pitch in 열심히 하기 시작하다, 협력하다　fall back 후퇴하다　partisanship 당파주의　hold back 억제하다　strain 변형되다　bond 유대　affection 애정

And to all those watching tonight from beyond our shores, from parliaments and palaces to those who are **huddled** around radios in the forgotten corners of our world – our stories are **singular**, but our destiny is shared, and a new dawn of American leadership is **at hand**. To those who would **tear** this world **down** – we will defeat you. To those who seek peace and security – we support you. And to all those who have wondered if America's beacon still burns as bright – tonight we proved once more that the true strength of our nation comes not from the might of our arms or the scale of our wealth, but from the enduring power of our ideals: democracy, liberty, opportunity, and unyielding hope.

For that is the true **genius** of America – that America can change. Our union can be perfected. And what we have already achieved gives us hope for what we can and must achieve tomorrow.

This election had many **firsts** and many stories that will be told for generations. But one that's on my mind tonight is about a woman who cast her ballot in Atlanta. She's a lot like the millions of others who stood in line to make their voice heard in this election except for one thing – Ann Nixon Cooper is 106 years old.

오늘 밤 바다 건너에서 저희를 지켜보고 있는 분들, 국회 의사당과 궁전에서, 그리고 이 세상에서 잊혀진 지구의 구석구석에서 라디오 앞에 옹기종기 모여 저희를 지켜보고 있던 모든 분들께 드리고 싶은 말이 있습니다. 즉, 우리의 이야기는 서로 다른 것이지만 우리의 운명은 다르지 않다는 말씀 말입니다. 그리고 미국 리더십의 새로운 날이 밝을 것이라는 사실도 말입니다. 이 세상을 붕괴시키려는 사람들, 우리는 당신들을 패배시킬 것입니다. 평화와 안녕을 바라는 자들, 우리는 당신들을 지지합니다. 오늘 밤 우리는 미국의 등불이 꺼지지 않았나 우려했던 자들 모두에게 미국의 진정한 힘은 미국의 강력한 군사력이나 부의 규모에서 오는 것이 아니라 우리가 가지고 있는 이상들의 끈질긴 힘, 즉 민주주의, 자유, 기회, 그리고 꺼지지 않는 희망에서 온다는 사실을 다시 한 번 더 입증했습니다.

★　★　★

　이것이 바로 미국의 참된 정신입니다. 미국은 변화할 수 있습니다. 우리의 결합은 완벽해질 수 있습니다. 그리고 우리가 이미 이룬 것들을 통해서, 우리가 앞으로 이룰 수 있고, 이루어야 할 것들에 대한 희망을 가지게 됩니다.

　이번 선거는 대대로 전해질 초유의 일들과 이야기들도 많았습니다. 그러나 오늘 밤 특히 제 마음속에서 떠오르는 것은 애틀랜타에서 투표한 한 여성의 이야기입니다. 그녀는 오늘 줄을 서서 투표로 자신의 권리를 행사한 수많은 국민들과 같은 국민입니다. 단 하나 예외적인 점이 있다면 앤 닉슨 쿠퍼 씨는 106세라는 사실입니다.

word tip!

huddle 모으다　singular 제각각의　at hand 바로 가까이에　tear down 부수다. 해체하다　genius 정신, 천재적 재능　first 최초의 것

She was born just a generation past slavery; a time when there were no cars on the road or planes in the sky; when someone like her couldn't vote for two reasons – because she was a woman and because of the color of her skin.

And tonight, I think about all that she's seen throughout her century in America – the heartache and the hope; the struggle and the progress; the times we were told that we can't, and the people who **pressed on** with that American **creed**: Yes we can.

At a time when women's voices were silenced and their hopes dismissed, she lived to see them stand up and **speak out** and reach for the ballot. Yes we can.

When there was despair in the **dust bowl** and depression across the land, she saw a nation conquer fear itself with a **New Deal**, new jobs and a new sense of common purpose. Yes we can.

When the bombs fell on our harbor and tyranny threatened the world, she was there to witness a generation rise to greatness and a democracy was saved. Yes we can.

She was there for the buses in Montgomery[1], the hoses in Birmingham[2], a bridge in Selma[3], and a preacher from Atlanta who told a people that "We Shall Overcome." Yes we can.

---

1) 1955년 미국 앨라배마 주 몽고메리에서 흑인 차별에 대항해 일어났던 버스 승차 거부 운동을 말함. 2) 1963년 앨라배마 주 버밍햄에서 일어난 인종 차별 반대 운동 중 경찰이 경찰견을 풀고 소화 호스로 물을 뿌려 논란을 일으켰던 사건을 말함. 3) 1965년 앨라배마 주 셀마에서 벌어진 인종 차별 반대 운동을 말함.

그녀는 노예세대 바로 직후에 태어났습니다. 그녀가 태어난 시기에는 길에 차도 없었고, 하늘에는 비행기도 없었습니다. 그녀가 태어난 시기에 그녀와 같은 사람은 두 가지 이유 때문에 투표를 할 수 없었습니다. 첫째는 여성이었기 때문에, 그리고 둘째는 피부 색깔 때문이었습니다.

그리고 오늘 밤, 저는 그녀가 미국에서 살았던 한 세기 동안 겪었던 모든 일들에 대해서 생각합니다. 가슴앓이와 희망, 몸부림과 성장, 그리고 불가능의 이야기를 듣던 시절과 '그래 우리는 할 수 있다'는 미국의 신조로 밀어붙이던 사람들의 이야기를 말입니다.

여성들의 목소리가 묵살되고 여성들의 희망이 무시되던 시기에, 쿠퍼 씨는 살아서 여성들이 일어나 큰 목소리로 외치고 투표 용지를 향해 손을 뻗는 것을 보았습니다. 그렇습니다. 우리는 할 수 있습니다.

★　★　★

더스트 볼의 절망이 만연하고 전국적인 경제 침체의 시기에, 그녀는 뉴딜로 공포 그 자체를 극복하는 한 나라의 모습을 보았습니다. 새로운 일자리가 만들어지고 공통된 목표 의식을 갖게 되는 모습 말입니다. 그렇습니다. 우리는 할 수 있습니다.

진주만에 폭탄이 떨어지고 폭압 정치가 세계를 위협할 때, 그녀는 그곳에서 한 세대가 일어나 위대한 업적들을 이루며 민주주의가 살아남는 모습을 목도했습니다. 그렇습니다. 우리는 할 수 있습니다.

그녀는 몽고메리의 버스, 버밍햄의 호스, 셀마의 다리, 그리고 애틀랜타 출신의 한 목사가 "우리는 극복할 것입니다," 라고 말하는 현장에 있었습니다. 그렇습니다. 우리는 할 수 있습니다.

word tip!

press on 재촉하다　creed 신념, 신조　speak out 용기를 내어 말하다, 솔직하게 말하다　New Deal 뉴딜 정책　dust bowl 가뭄을 말함. 가뭄 때문에 황진지대가 생겼음.

A man **touched down** on the moon, a wall **came down** in Berlin, a world was connected by our own science and imagination. And this year, in this election, she touched her finger to a screen, and cast her vote, because after 106 years in America, through the best of times and the darkest of hours, she knows how America can change. Yes we can.

America, we have come so far. We have seen so much. But there is so much more to do. So tonight, let us ask ourselves – if our children should live to see the next century; if my daughters should be so lucky to live as long as Ann Nixon Cooper, what change will they see? What progress will we have made?

This is our chance to answer that call. This is our moment. This is our time – to put our people back to work and open doors of opportunity for our kids; to restore prosperity and promote the **cause** of peace; to **reclaim** the American Dream and **reaffirm** that fundamental truth – that out of many, we are one; that while we breathe, we hope, and where we are met with **cynicism**, and doubt, and those who tell us that we can't, we will respond with that **timeless** creed that **sums up** the spirit of a people:

Yes We Can. Thank you, God bless you, and may God Bless the United States of America.

한 남자가 달에 발을 내디뎠습니다. 베를린 장벽이 무너졌습니다. 세상은 우리 자신의 학문과 상상력으로 하나로 이어졌습니다. 그리고 올해, 이번 선거에서 그녀는 화면에 손을 갖다 대고 그녀의 투표권을 행사했습니다. 미국에서 최고의 시기, 그리고 암울했던 시기 모두를 경험하며 106년 인생을 살아왔기 때문에, 그녀는 미국이 어떻게 변화할 수 있는지를 알고 있습니다. 그렇습니다. 우리는 할 수 있습니다.

★ ★ ★

국민 여러분, 우리는 먼 길을 왔습니다. 너무나도 많은 것을 보았습니다. 그러나 앞으로 해야 할 일들이 훨씬 더 많이 남아 있습니다. 그래서 오늘 밤, 우리 모두에게 자문해 봅시다. 우리의 자녀들이 자라 다음 세기를 보게 된다면, 또는 제 딸들이 앤 닉슨 쿠퍼 씨만큼 오래 사는 행운을 누릴 수 있다면, 그들은 어떤 변화를 보게 될까요? 우리는 어떠한 발전을 이루어 놓았을까요?

★ ★ ★

이제는 우리가 그러한 소명에 답할 차례입니다. 바로 지금이 우리의 순간입니다. 지금이 우리의 시간입니다. 우리 국민들이 다시 열심히 일하고 아이들을 위해 기회의 문을 활짝 열어야 할 시기입니다. 다시금 번영을 회복하고 평화 운동을 촉진시키는 시기입니다. 아메리칸드림을 다시금 재생하고 기본적인 진실, 즉 많은 가운데 우리는 하나라고 하는 기본적인 진실을 재확인해야 할 시기입니다. 그리고 우리가 숨을 쉬는 동안 우리는 희망합니다. 우리가 냉소와 의심, 그리고 우리에게 불가능하다고 말하는 사람들을 접하게 되었을 때, 우리는 한 국민의 정신을 집약해 주는 불변의 신조, 즉 '그렇습니다. 우리는 할 수 있다'라는 신조로 답변할 것입니다.

감사합니다. 부디 신의 가호가 여러분과 그리고 미합중국에 있기를 기원합니다.

word tip!

touch down 착륙하다, 내리다 come down 무너지다 cause 대의 reclaim 되찾다 reaffirm 재확인하다 cynicism 냉소(주의) timeless 시간을 초월한, 영원한 sum up 요약하다, 합치다

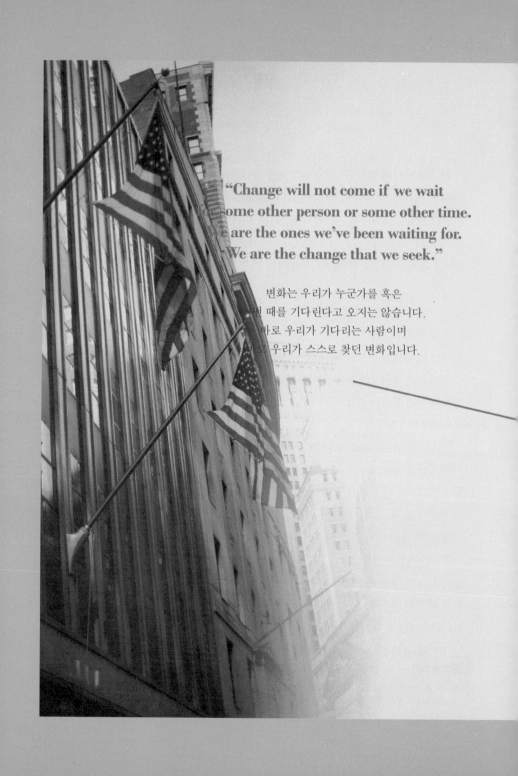

"Change will not come if we wait
some other person or some other time.
We are the ones we've been waiting for.
We are the change that we seek."

변화는 우리가 누군가를 혹은
어떤 때를 기다린다고 오지는 않습니다.
바로 우리가 기다리는 사람이며
또 우리가 스스로 찾던 변화입니다.

"변화하라!"

　　44대 미국 대통령 선거의 메시지는 단순했다.
그렇지만 강력했다. 오바마는 '변화'와 '희망'이라는 단 2개의 단어로
미국인들의 마음을 움직였다. 제 2의 베트남을 생각하게 하는
이라크 전쟁과 종식은 커녕 오히려 더 첨예해진 테러와의 싸움,
금세기 최악일 수 있는 경기침체 등에 지친 미국인들에게 오바마의
단순한 슬로건은 마치 알렉산더의 매듭처럼 신선하게 다가왔다.

Springfield, Illinois. February 10, 2007

Our Past,
Future & Vision
for America

Let me begin by saying thanks to all you who've traveled, from far and wide, to brave the cold today.

We all made this journey for a reason. It's humbling, but in my heart I know you didn't come here just for me, you came here because you believe in what this country can be. **In the face of** war, you believe there can be peace. In the face of despair, you believe there can be hope. In the face of a politics that's **shut** you **out**, that 's told you to **settle**, that's divided us for too long, you believe we can be one people, reaching for what's possible, building that more perfect union.

That's the journey we're on today. But let me tell you how I came to be here. As most of you know, I am not a native of this great state. I moved to Illinois over two decades ago. I was a young man then, just a year out of college; I knew no one in Chicago, was without money or family connections. But a group of churches had offered me a job as a community organizer for $13,000 a year. And I accepted the job, **sight unseen**, motivated then by a single, simple, powerful idea - that I might play a small part in building a better America.

미래를 향한 미국의 비전

MP3 track 03.   http://www.youtube.com/watch?v=gdJ7Ad15WCA

우선 장거리에 추위를 무릅쓰고 오늘 이렇게 와 주신 모든 분들께 감사드립니다. 우리 모두는 한 가지 이유 때문에 여기 모였습니다. 송구한 일이기는 하지만, 저는 여러분이 단지 저 때문에 여기 오신 게 아니라 우리나라의 가능성을 믿기 때문에 여기 오셨다는 사실을 알고 있습니다. 전쟁에 직면했을 때, 여러분은 평화가 오리라는 사실을 믿습니다. 절망에 직면했을 때, 희망이 오리라는 사실을 믿습니다. 여러분을 내쫓아 버린 정치, (그런 것에) 안주하라고 한 정치, 너무나 오랫동안 우리를 갈라 놓은 정치에 직면했을 때, 여러분은 우리가 하나가 되어 가능한 것에 도달하고자 손을 뻗고 보다 완벽한 연합을 이룰 수 있다고 믿습니다.

★　★　★

그러한 일 때문에 오늘 우리가 함께 이 자리에 와 있습니다. 저는 오늘 제가 여기 오게 된 과정을 말씀드리고자 합니다. 여러분 대부분이 알고 계시듯이, 저는 이 훌륭한 주에서 태어난 사람이 아닙니다. 저는 20여 년 전에 이곳 일리노이 주로 이사를 왔습니다. 당시 저는 대학을 졸업한 지 1년밖에 안 된 사회 초년생이었고, 시카고에는 단 한 사람도 아는 사람이 없었으며, 돈도 없고 아무 친척 연고도 없는 사람이었습니다. 하지만 한 교회 단체에서 제게 연봉 1만 3,000달러에 커뮤니티 조직자로 일해 보라는 제안을 해 왔습니다. 저는 그 일자리를 받아들였고, 아무런 대책도 없는 그 당시의 상황에서 단 하나의 단순하지만 강력한 생각에 이끌리게 되었습니다. 그 생각이란 제가 보다 나은 미국을 건설하는 데 작은 역할이나마 할 수 있으리라는 것이었습니다.

word tip!

in the face of ~에도 불구하고 shut out 차단하다, 못들어오게 막다 settle 만족하다 sight unseen 보지도 않고

My work took me to some of Chicago's poorest neighborhoods. I joined with **pastors** and **lay-people** to deal with communities that had been **ravaged** by plant closings. I saw that the problems people faced weren't simply local **in nature** - that the decision to close a steel mill was made by distant executives; that the lack of textbooks and computers in schools could be traced to the **skewed priorities** of politicians a thousand miles away; and that when a child turns to violence, there's a hole in his heart no government could ever fill.

It was in these neighborhoods that I received the best education I ever had, and where I learned the true meaning of my Christian faith.

After three years of this work, I went to law school, because I wanted to understand how the law should work for those **in need**. I became a civil rights lawyer, and taught constitutional law, and after a time, I came to understand that our cherished rights of liberty and equality depend on the active participation of an awakened **electorate**. It was with these ideas in mind that I arrived in this **capital city** as a state Senator.

저는 그 일을 하는 동안 시카고에서 가장 가난한 여러 지역을 가 보게 되었습니다. 그때 저는 몇몇 목사님들과 평신도들과 함께 공장 폐쇄로 황폐화된 지역을 담당했고, 그 과정에서 그곳 사람들이 직면하고 있는 문제들은 전혀 단순한 지역적인 문제가 아님을 알 수 있었습니다. 제철소를 폐쇄하기로 한 결정은 시카고 밖의 멀리 있는 본사 간부들이 내린 것이었고, 학교에 교과서와 컴퓨터가 부족한 것은 천 마일이나 떨어진 곳에 있는 정치가들이 정한 비뚤어진 정책 우선순위 때문이었음을 알 수 있었습니다. 아이가 폭력적으로 변한다면, 아이의 가슴에 어떠한 정부도 결코 메워 주지 못할 구멍이 뚫려 있기 때문이라는 사실을 알 수 있었습니다.

★　★　★

제가 평생에 가장 좋은 교육을 받고, 기독교 신앙의 진정한 의미를 알게 된 곳이 다름 아닌 바로 이러한 환경에서였습니다.

3년간 그 일을 한 뒤에, 저는 로스쿨에 들어갔습니다. 왜냐하면 도움이 필요한 사람들을 위해 법이 어떤 일을 해야 하는지 알고 싶었기 때문이었습니다. 저는 인권 변호사가 되었고 헌법을 가르쳤습니다. 얼마 후 저는, 우리가 가장 소중히 여기는 자유와 평등의 권리는 깨어 있는 유권자의 적극적인 참여에 의해 좌우된다는 사실을 알게 되었습니다. 주 상원의원이 되어 이 수도에 도착했을 때 저는 바로 이러한 생각을 마음에 품고 있었습니다.

---

word tip!

pastor 목사　lay-people 평신도들 (layperson의 복수형)　ravage 황폐화하다　in nature 사실상 skewed 편향된　priority 우선순위　in need 어려움에 처한　electorate 유권자　capital city 주도

It was here, in Springfield, where I saw all that is America converge - farmers and teachers, businessmen and laborers, all of them with a story to tell, all of them seeking a seat at the table, all of them **clamoring** to be heard. I made lasting friendships here - friends that I see in the audience today.

It was here we learned to disagree without being disagreeable - that it's possible to **compromise** so long as you know those principles that can never be **compromised**; and that so long as we 're willing to listen to each other, we can assume the best in people instead of the worst.

That's why we were able to reform a death penalty system that was broken. That's why we were able to give health insurance to children in need. That's why we made the tax system more **fair and just** for working families, and that's why we passed ethics reforms that the **cynics** said could never, ever be passed.

It was here, in Springfield, where North, South, East and West come together that I was reminded of the essential decency of the American people - where I came to believe that through this decency, we can build a more hopeful America.

제가 미국적인 모든 것, 즉 농부, 교사, 사업가, 노동자들이 모두 저마다 들려줄 이야기를 갖고, 저마다 테이블의 자리를 찾아, 저마다 자신의 이야기를 들려주고 싶어 하던 그 모든 모습을 본 곳이 바로 이곳 스프링필드에서였습니다. 저는 여기에서 길이 변치 않는 우정을 만들었습니다. 오늘 여기 모이신 청중 속에서도 그런 친구들의 모습이 보입니다.

　상대방을 불쾌하게 만들지 않고도 다른 의견을 표현하는 법을 배운 곳이 바로 이곳이었습니다. 결코 타협할 수 없는 원칙들을 알고 있는 한 타협을 할 수 있으며, 서로의 말을 기꺼이 경청하고자 하는 한 사람들에게서 최악이 아닌 최선의 모습을 취할 수 있다는 사실을 배운 곳도 바로 이곳이었습니다.

★　★　★

　그러한 이유 때문에 우리는 불완전한 사형 제도를 개혁할 수 있었습니다. 그러한 이유 때문에 우리는 도움이 필요한 아이들에게 건강보험의 혜택을 줄 수 있었습니다. 그러한 이유 때문에 우리는 근로 가정에 더 공평하고 공정한 과세 제도를 만들 수 있었으며, 그러한 이유 때문에 우리는 냉소주의자들이 결코, 결단코 통과되지 않을 것이라고 이야기한 윤리개혁안을 통과시킬 수 있었습니다.

★　★　★

　제가 미국 국민이 기본적으로 지니고 있는 인격을 다시금 되새기게 된 곳도 동서남북이 모두 다 만나는 바로 이곳 스프링필드에서였습니다. 제가 그러한 인격을 통해 보다 희망적인 미국을 건설할 수 있으리라 믿게 된 것이 바로 이곳이었습니다.

word tip!

converge 한 곳에 모이다　clamor 외치다　compromise 타협하다, 손상하다　fair and just 공명정대한
cynic 냉소자

And that is why, in the shadow of the Old State Capitol, where Lincoln once **called on** a divided house to stand together, where common hopes and common dreams still, I stand before you today to announce my **candidacy** for President of the United States.

I recognize there is a certain **presumptuousness** - a certain **audacity** - to this announcement. I know I haven't spent a lot of time learning the ways of Washington. But I've been there long enough to know that the ways of Washington must change.

The genius of our founders is that they designed a system of government that can be changed. And we should **take heart**, because we've changed this country before. **In the face of** tyranny, a band of patriots brought an Empire to its knees. In the face of **secession**, we unified a nation and set the captives free. In the face of Depression, we put people back to work and lifted millions out of poverty. We welcomed immigrants to our shores, we opened railroads to the west, we landed a man on the moon, and we heard a King's call to let justice roll down like water, and **righteousness** like a mighty stream.

Each and every time, a new generation has risen up and done what's needed to be done. Today we are called once more - and it is time for our generation to answer that call.

For that is our unyielding faith - that in the face of impossible **odds**, people who love their country can change it.

바로 그런 까닭에, 링컨이 한때 화합을 호소했던 이 분열된 곳, 공통의 희망과 공통의 꿈이 침잠하는, 옛 주 의사당 건물 그늘 아래서, 저는 오늘 미국 대통령 선거의 출마를 알리기 위해서 여러분 앞에 섰습니다.

저의 발표가 일면 뻔뻔하기도 하고, 일면 대담하기도 한 행동임을 잘 알고 있습니다. 제가 워싱턴의 정치 세계를 별로 경험하지 못했다는 사실도 알고 있습니다. 하지만 워싱턴의 정치 세계가 변화해야 한다는 사실을 알 정도의 경험은 갖고 있습니다.

★ ★ ★

미합중국을 세운 분들의 가장 탁월한 점은 변화가 가능한 정부 시스템을 고안해 냈다는 것입니다. 그래서 우리는 용기를 내야 합니다. 왜냐하면 우리는 예전에 이 나라를 변화시킨 적이 있기 때문입니다. 전제 정치의 위기에 직면했을 때, 일단의 애국자들이 제국을 무릎 꿇게 만들었습니다. 남부의 여러 주들이 연방을 이탈하려는 위기에 직면했을 때, 우리는 국민을 더 결속시켜 포로들을 해방시켰습니다. 대공황에 직면했을 때, 우리는 국민에게 일자리를 돌려주고 수백만의 사람들을 궁핍에서 벗어나게 했습니다. 우리는 우리나라로 오는 이민자들을 반겨 주었고, 서부까지 철도를 놓았으며, 달에 사람을 보냈고, 정의가 바다처럼, 정직이 강물처럼 흐르게 하라는 킹 목사의 목소리를 들었습니다.

매번 새로운 세대가 일어나 해야 할 일을 해 왔습니다. 오늘 우리는 다시 한 번 부름을 받고 있으며, 우리 세대가 그러한 부름에 응할 때가 되었습니다.

왜냐하면 그것이 바로 우리의 확고한 믿음, 즉 불가능한 역경에 직면했을 때, 조국을 사랑하는 사람들이 그것을 바꿀 수 있다는 믿음이기 때문입니다.

word tip!

call on ∼에게 요구하다 candidacy 입후보 presumptuousness 주제넘음 audacity 대담함 take heart 마음을 다잡다 in the face of ∼에 맞서서 secession 분열 righteousness 올바름 odds 역경

That's what Abraham Lincoln understood. He had his doubts. He had his defeats. He had his setbacks. But through his will and his words, he moved a nation and helped free a people. It is because of the millions who **rallied** to his cause that we are no longer divided, North and South, slave and free. It is because men and women of every race, from every **walk of life**, continued to march for freedom long after Lincoln was laid to rest, that today we have the chance to face the challenges of this millennium together, as one people - as Americans.

All of us know what those challenges are today - a war with no end, a dependence on oil that threatens our future, schools where too many children aren't learning, and families **struggling** paycheck to paycheck despite working as hard as they can. We know the challenges. We've heard them. We've talked about them for years.

What's stopped us from meeting these challenges is not the absence of sound policies and sensible plans. What's stopped us is the failure of leadership, the smallness of our politics - the ease with which we're **distracted** by the petty and trivial, our chronic avoidance of tough decisions, our preference for scoring cheap political points instead of **rolling up our sleeves** and building a working consensus to **tackle** big problems.

그것이 바로 에이브러햄 링컨이 이해했던 부분입니다. 그에게도 의심은 있었고, 실패도 있었으며, 후퇴도 있었습니다. 하지만 그는 자신의 뜻과 자신의 약속을 통해 한 나라를 움직이고, 한 민족의 자유를 도왔습니다. 우리가 더 이상 남과 북으로, 노예와 자유인으로 갈라져 있지 않은 것은 바로 그의 대의명분을 지지하기 위해 모인 수백만 명이 있었기 때문입니다. 우리가 오늘 하나의 국민, 미국인으로서 금세기 밀레니엄의 도전을 함께 맞이할 기회를 갖고 있는 것은 링컨이 영면한 후에도 모든 인종, 모든 계층의 사람들이 오랫동안 자유를 향한 행진을 계속했기 때문입니다.

★　★　★

오늘날 그러한 도전이 무엇인지 우리 모두 잘 알고 있습니다. 끝도 없는 전쟁, 우리의 미래를 위협하는 석유 의존성, 너무나 많은 아이들에게 배움의 기회를 주지 못하는 학교, 힘을 다해 열심히 일해도 근근이 살아갈 수밖에 없는 가족들이 바로 그것입니다. 우리는 그러한 도전을 잘 알고 있습니다. 우리는 이미 들은 바 있습니다. 우리는 이미 몇 년째 그 이야기를 해 오고 있습니다.

이 문제를 해결하지 못하게 우리를 가로막고 있는 것은 건전한 정책과 현명한 계획이 없어서가 아닙니다. 정작 우리를 가로막고 있는 것은 리더십의 실패, 우리 정치의 편협함입니다. 사소하고 하찮은 것에 쉽게 한눈을 팔고, 어려운 결정 사항을 고질적으로 회피하며 중요한 문제를 해결하기 위해 소매를 걷어붙이고 유효한 합의를 이루는 일은 마다하고 대신 값싼 정치적 평가를 얻고자 하는 성향 등이 우리를 가로막고 있습니다.

word tip!

rally 모이다　walk of life 신분, 직업　struggle 애써서 해내다　distract 어지럽히다　roll up one's sleeves 소매를 걷어 붙이다　tackle 다루다

For the last six years we've been told that our **mounting** debts don't matter, we've been told that the anxiety Americans feel about rising health care costs and stagnant wages are an **illusion**, we 've been told that climate change is a **hoax**, and that tough talk and an **ill-conceived** war can replace diplomacy, and strategy, and **foresight**. And when all else fails, when Katrina happens, or the **death toll** in Iraq mounts, we've been told that our crises are somebody else's fault. We're distracted from our real failures, and told to blame the other party, or gay people, or immigrants.

And as people have **looked away** in **disillusionment** and frustration, we know what's filled the **void**. The cynics, and the lobbyists, and the special interests who've turned our government into a game only they can afford to play. They write the checks and you **get stuck with** the bills, they get the access while you get to write a letter, they think they own this government, but we're here today to take it back. The time for that politics is over. It's time to turn the page.

We've made some progress already. I was proud to help lead the fight in Congress that led to the most sweeping ethics reform since Watergate.

지난 6년간 우리는 급증하는 부채가 아무런 문제가 될 게 없다는 소리를 들어 왔고, 건강보험료의 인상과 오르지 않는 임금에 대해 미국인들이 느끼는 불안은 환상이라는 소리를 들어 왔으며, 기후 변화는 사기이고, 강경한 이야기와 잘못된 계획에 의한 전쟁이 외교를 대체하고, 그리고 전략을, 그리고 앞날의 예측을 대체할 수 있다는 소리를 들어 왔습니다. 그리고 그 외 모든 것이 실패할 때, 허리케인 카트리나가 닥칠 때, 또는 이라크 전사자의 수가 치솟을 때, 우리의 위기는 남의 탓이라는 소리를 들어 왔습니다. 우리는 우리가 실제로 겪은 실패에 대해 눈을 돌리고, 상대방 또는 동성애자, 또는 이민자들에게 그 탓을 돌리라는 얘기를 들었습니다.

★　★　★

국민이 환멸과 불안 속에서 시선을 돌릴 때, 우리는 그 공백을 무엇이 채우는지 잘 알고 있습니다. 냉소가들, 로비스트들, 그리고 우리 정부의 일을 자신만이 할 수 있는 게임으로 바꾸어 온 특수 이해 관계자들이 바로 그 공백을 채웠습니다. 그들은 수표를 발행하고 여러분은 현찰에 꼼짝달싹하지 못합니다. 여러분이 어떤 편지를 쓰게 되면 그 사이 그들은 그 편지를 손에 넣습니다. 그들은 자신들이 이 정부를 소유하고 있다고 생각합니다. 하지만 우리는 오늘 그러한 정부를 돌려받기 위해 이 자리에 모였습니다. 그러한 정치의 시대는 끝났습니다. 페이지를 넘길 때가 되었습니다.

★　★　★

우리는 이미 어느 정도 진전을 이루었습니다. 저는 워터게이트 이후에 가장 철저한 윤리 개혁의 결과로 이어진 의회에서의 싸움을 주도하는 데 도움을 준 것에 대해 자부심을 갖고 있었습니다.

word tip!

mount 오르다 illusion 환상 hoax 날조 ill-conceived 발상이 나쁜 foresight 선견지명 death toll 사망자 수 look away 눈길을 돌리다 disillusionment 환멸감 void 빈 곳 get stuck with ~에 얽매이게 되다

But Washington has a long way to go. And it won't be easy. That 's why we'll have to set priorities. We'll have to make hard choices. And although government will play a crucial role in **bringing about** the changes we need, more money and programs alone will not get us where we need to go. Each of us, in our own lives, will have to accept responsibility - for **instilling** an ethic of achievement in our children, for adapting to a more competitive economy, for strengthening our communities, and sharing **some measure of** sacrifice. So let us begin. Let us begin this hard work together. Let us transform this nation.

Let us be the generation that reshapes our economy to compete in the digital age. Let's set high standards for our schools and give them the resources they need to succeed. Let's recruit a new army of teachers, and give them better pay and more support in exchange for more **accountability**. Let's make college more affordable, and let 's invest in scientific research, and let's **lay down broadband lines** through the heart of inner cities and rural towns all across America.

And as our economy changes, let's be the generation that **ensures** our nation's workers are sharing in our prosperity. Let's protect the **hard-earned** benefits their companies have promised. Let's make it possible for hardworking Americans to save for retirement. And let's allow our unions and their organizers to lift up this country's middle-class again.

하지만 워싱턴은 아직 갈 길이 멉니다. 그리고 그 길은 쉽지 않을 것입니다. 그렇기 때문에 우리는 우선순위를 정해야 합니다. 우리는 어려운 선택을 해야 합니다. 우리에게 필요한 변화를 이루는 데 정부가 중대한 역할을 맡겠지만, 예산과 프로그램 추가만으로는 우리가 목표하는 곳으로 가지 못할 것입니다. 우리들 한 사람 한 사람이 각자의 삶 속에서 책임을 떠맡아야 합니다. 자녀들에게 성취의 윤리를 가르치고, 보다 경쟁적인 경제 시스템에 적응하도록 가르치며, 우리의 커뮤니티를 강화하고, 그리고 어느 정도의 희생을 나누는 책임 말입니다. 그러므로 시작합시다. 이 어려운 일을 함께 시작합시다. 이 나라를 변화시킵시다.

★　★　★

디지털 시대에서 경쟁하기 위해 우리 경제 시스템을 새로 바꾸는 세대가 됩시다. 우리 학교를 위해 높은 기준을 정하고 학교가 성공하는 데 필요한 자원을 제공합시다. 새로운 교사진을 채용하고, 더 큰 책임을 부여하는 대가로 더 많은 봉급과 더 많은 지원을 주도록 합시다. 대학 등록금을 낮추고, 과학 연구에 투자하며, 미국 전역에 도심의 심장부와 농촌 지역을 잇는 광역 노선을 만듭시다.

그리고 우리의 경제가 변화하면서 우리나라의 노동자들이 번영 속에서 그 몫을 함께 나눠 갖도록 하는 세대가 됩시다. 그들의 회사가 약속한, 노동자들이 아주 어렵게 얻어 낸 혜택을 지켜 줍시다. 근면한 미국인들이 은퇴에 대비해 돈을 저축할 수 있도록 만들어 줍시다. 그리고 노조와 그 조직원들이 우리나라의 중산층을 다시 일으켜 세울 수 있도록 만들어 줍시다.

word tip!

bring about 일으키다　instill 가르쳐주다　some measure of 얼마간의　accountability 책임　lay down 설치하다　broadband lines 광대역 통신망　ensure 확고히 하다　hard-earned 어렵게 번

Let's be the generation that ends poverty in America. Every single person willing to work should be able to get job training that leads to a job, and earn a living wage that can pay the bills, and afford child care so their kids have a safe place to go when they work. Let's do this.

Let's be the generation that finally tackles our health care crisis. We can control costs by focusing on prevention, by providing better treatment to the **chronically** ill, and using technology to cut the **bureaucracy**. Let's be the generation that says right here, right now, that we will have universal health care in America by the end of the next president's first term.

Let's be the generation that finally frees America from the tyranny of oil. We can harness homegrown, **alternative** fuels like ethanol and **spur** the production of more **fuel-efficient** cars. We can set up a system for **capping** greenhouse gases. We can turn this crisis of global warming into a moment of opportunity for innovation, and job creation, and an incentive for businesses that will serve as a model for the world. Let's be the generation that makes future generations proud of what we did here.

미국에서 빈곤을 끝장내는 세대가 됩시다. 기꺼이 일하고자 하는 사람은 단 한 사람이라도 취업으로 연결되는 직업 훈련을 받을 수 있어야 하며, 고지서의 요금을 물 수 있는 최저 생활 임금을 받아야 하고, 일하는 동안 아이들이 보살핌을 받을 수 있도록 탁아를 감당할 수 있어야 합니다. 이러한 일을 합시다.

★　★　★

우리나라의 건강보험 위기를 마침내 해결하는 세대가 됩시다. 예방에 주력함으로써, 고질병 환자들에게 보다 나은 치료를 제공함으로써, 그리고 관료주의를 퇴치할 수 있는 기술을 이용함으로써, 우리는 여러 비용들을 줄일 수 있을 것입니다. 바로 지금 바로 이 자리에서, 차기 대통령의 첫 임기가 끝날 무렵에는 미국 국민 누구나가 건강보험을 갖게 될 것이라고 말하는 세대가 됩시다.

★　★　★

미국을 석유의 폭정으로부터 마침내 해방시키는 세대가 됩시다. 우리는 에탄올 같은 국내 생산 대체 연료를 이용하고 연료 효율이 높은 자동차 생산에 박차를 가할 수 있습니다. 우리는 온실가스를 제한하기 위한 시스템을 만들 수 있습니다. 우리는 지구 온난화의 위기를 혁신과 일자리 창출, 그리고 세계의 모범이 될 수 있는 기업체 인센티브의 기회로 삼을 수 있습니다. 우리가 여기에서 한 일에 대해, 미래 세대가 자랑스러워할 수 있는 세대가 됩시다.

Most of all, let's be the generation that never forgets what happened on that September day and confront the terrorists with everything we've got. Politics doesn't have to divide us on this anymore - we can work together to keep our country safe. I've worked with Republican Senator Dick Lugar to pass a law that will **secure** and destroy some of the world's deadliest, **unguarded** weapons. We can work together to **track** terrorists **down** with a stronger military, we can tighten the net around their finances, and we can improve our intelligence capabilities. But let us also understand that ultimate victory against our enemies will come only by rebuilding our alliances and exporting those ideals that bring hope and opportunity to millions around the globe.

But all of this cannot **come to pass** until we **bring an end to** this war in Iraq. Most of you know I opposed this war from the start. I thought it was a **tragic** mistake. Today we **grieve** for the families who have lost loved ones, the hearts that have been broken, and the young lives that could have been. America, it's time to start bringing our troops home. It's time to admit that no amount of American lives can **resolve** the political disagreement that lies at the heart of someone else's civil war. That's why I have a plan that will bring our combat troops home by March of 2008.

무엇보다도, 9월의 그날 일어난 일을 절대 잊지 않고 우리가 가진 모든 것을 동원해 테러주의자들과 맞서는 세대가 됩시다. 정치는 이 문제에 대해서 더 이상 우리를 갈라놓을 수 없습니다. 우리는 함께 이 나라를 안전하게 만들 수 있습니다. 저는 이 세상에서 가장 치명적이고 방어하기 힘든 무기 중의 일부를 확보해서 파괴시켜 줄 법안을 통과시키기 위해서 공화당 상원의원인 딕 루가와 함께 작업을 했습니다. 우리는 보다 강한 군사력으로 테러주의자들을 추적할 수 있으며, 우리는 그들의 자금을 옭아맬 수 있으며, 그리고 우리는 우리의 정보 능력을 향상시킬 수 있습니다. 그러나 적을 상대로 한 궁극적인 승리는 동맹국을 재건하고 전 세계 수백만 명의 사람들에게 희망과 기회를 가져다주는 그러한 이상을 널리 전파할 때 비로소 가능하다는 사실을 이해합시다.

★　★　★

　그러나 이라크 전쟁을 완전히 종식시키기 전까지는 이 모든 것이 실현될 수 없습니다. 제가 이 전쟁을 처음부터 반대했다는 사실을 여러분 대부분이 알고 계십니다. 저는 이 전쟁이 비극적인 실수라고 생각했습니다. 오늘 우리는 사랑하는 이를 잃은 가족들 때문에, 상심의 고통을 당하고 있는 사람들 때문에, 피지도 못하고 간 젊은이들의 생명 때문에 슬퍼하고 있습니다. 이제 미국은 군대를 철수시킬 때가 왔습니다. 내전 한가운데 놓여 있는 다른 나라의 정치적 불화는 아무리 많은 미국인의 생명을 희생해도 결코 해결할 수 없음을 인정할 때가 되었습니다. 그러한 이유 때문에 저는 2008년 3월까지 우리의 전투 병력을 귀국시킬 계획을 가지고 있습니다.

word tip!

secure 확보하다　unguarded 안전장치가 없는　track down ~을 바짝 쫓다　come to pass 실현되다
bring and end to ~을 끝내다　tragic 비극적인　grieve 몹시 슬퍼하다　resolve 해결하다

Letting the Iraqis know that we will not be there forever is our last, best hope to pressure the **Sunni** and **Shia** to come to the table and find peace.

Finally, there is one other thing that is not too late to get right about this war - and that is the homecoming of the men and women - our veterans - who have sacrificed the most. Let us honor their **valor** by providing the care they need and rebuilding the military they love. Let us be the generation that begins this work.

I know there are those who don't believe we can do all these things. I understand the **skepticism**. After all, every four years, candidates from both parties make similar promises, and I expect this year will be no different. All of us running for president will travel around the country offering ten-point plans and making grand speeches; all of us will **trumpet** those qualities we believe make us uniquely qualified to lead the country. But too many times, after the election is over, and the **confetti** is swept away, all those promises fade from memory, and the lobbyists and the **special interests** move in, and people turn away, disappointed as before, left to struggle on their own.

That is why this campaign can't only be about me. It must be about us - it must be about what we can do together. This campaign must be the **occasion**, the vehicle, of your hopes, and your dreams.

우리가 그곳에 영원히 머무르지는 않을 것임을 이라크인들에게 알리는 것이 수니파와 시아파가 함께 앉아 평화를 모색하도록 압력을 가하고자 하는 우리의 마지막이자 최선의 희망입니다.

끝으로, 더 늦지 않게 이 전쟁을 바로잡기 위한 한 가지 다른 일이 있습니다. 그것은 가장 큰 희생을 치른 남녀 참전 군인들의 귀향입니다. 그들에게 필요한 보살핌을 제공하고 그들이 사랑하는 군대를 재건함으로써 그들의 용기를 명예롭게 합시다. 이 일을 시작하는 세대가 됩시다.

★ ★ ★

저는 우리가 이 모든 일을 해낼 수 있으리라고 믿지 못하는 사람들이 있다는 사실을 알고 있습니다. 저는 회의론적인 태도를 이해합니다. 결국 4년마다 양당의 후보들이 비슷한 공약을 하고 있습니다. 그래서 저는 올해도 다를 바가 없으리라 생각합니다. 대통령 후보 모두가 전국을 다니며 만점짜리 계획을 제시하고 거창한 연설을 하기 마련입니다. 그럼 우리 모두는 우리가 생각하기에 국가 지도자가 되기에 충분한 저마다의 자질을 떠벌리기 마련입니다. 그러나 너무나 많이, 선거가 끝나고 화려한 축하 행사가 끝나고 나면, 그 공약은 모두의 기억에서 사라지고, 그리고 로비스트들과 특별한 이해 당사자들이 나타나고, 사람들은 전처럼 실망하여 등을 돌립니다. 그러면 사람들은 다시 자신의 일상과 싸우게 됩니다.

그러한 이유 때문에 이 선거 운동은 저만의 일이 될 수 없습니다. 우리 모두의 일이어야 합니다. 이 선거 운동은 우리가 함께 할 수 있는 일이어야 합니다. 이 선거 운동은 여러분의 희망과 여러분의 꿈을 논의하는 장이자 전달의 수단이 되어야 합니다.

word tip!

Sunni 수니파 Shia 시아파 valor 용기 skepticism 회의주의 trumpet 떠들어대다 confetti (축제 등에 쓰는) 색종이 조각 special interest 특정 이익 단체 occasion 기회

It will take your time, your energy, and your advice - to push us forward when we're doing right, and to let us know when we're not.

This campaign has to be about reclaiming the meaning of citizenship, restoring our sense of common purpose, and realizing that few obstacles can **withstand** the power of millions of voices calling for change.

By ourselves, this change will not happen. Divided, we **are bound to** fail.

But the life of a tall, **gangly, self-made** Springfield lawyer tells us that a different future is possible.

He tells us that there is power in words.

He tells us that there is power in **conviction**.

That beneath all the differences of race and region, faith and **station**, we are one people.

He tells us that there is power in hope.

As Lincoln organized the forces **arrayed** against slavery, he was heard to say: "Of strange, **discordant**, and even hostile elements, we gathered **from the four winds**, and formed and fought to battle through."

이 선거 운동은 여러분의 시간, 여러분의 에너지, 그리고 여러분의 조언 – 우리가 옳은 일을 하고 있을 때 앞으로 밀어주고, 그렇지 않을 때를 알려 줄 수 있는 – 을 필요로 합니다.

이 선거 운동은 시민권의 의미를 되살리고, 공통의 목적의식을 재확립하며, 몇 가지의 장애가 변화를 요구하는 수백만 목소리의 힘을 당해 낼 수는 없음을 깨닫는 것이어야 합니다.

★　★　★

우리만으로 이러한 변화는 일어나지 못할 것입니다. 흩어지면, 우리는 실패하게 되어 있습니다.

그러나 키 크고 호리호리한, 스프링필드에서 태어나 자수성가한 어느 변호사의 삶은 우리에게 어떤 다른 미래가 가능하다고 말합니다.

그는 말에 힘이 있다고 말합니다.

그는 신념에 힘이 있다고 말합니다.

인종과 종교, 신앙과 신분의 모든 차이점들을 무시하면 우리는 한 국민이라고 말합니다.

그는 희망에 힘이 있다고 말합니다.

★　★　★

링컨은 노예 제도와 맞서 싸울 군대를 배치하면서 이렇게 말한 것으로 알려져 있습니다. "낯설고, 어울리지 않는, 심지어 적대적이었던 사람들이 사방에서 모여 대열을 정렬하고 전투에서 싸웠습니다."

word tip!

withstand 저항하다　be bound to ~ 하게 되어 있다　gangly 호리호리하게 큰　self-made 자수성가한　conviction 신념　station 위치, 지위　array 정렬시키다　discordant 조화하지 않는　from the four winds 사방팔방에서

That is our purpose here today.

That's why I'm in this race.

Not just to hold an office, but to gather with you to transform a nation.

I want to win that next battle - for justice and opportunity.

I want to win that next battle - for better schools, and better jobs, and health care for all.

I want us to **take up** the unfinished business of perfecting our union, and building a better America.

And if you will join me in this **improbable quest**, if you feel destiny calling, and see as I see, a future of endless possibility stretching before us; if you sense, as I sense, that the time is now to shake off our **slumber**, and **slough off** our fear, and **make good** on the debt we owe past and future generations, then I'm ready to take up the **cause**, and march with you, and work with you. Together, starting today, let us finish the work that needs to be done, and **usher** in a new birth of freedom on this Earth.

그것이 오늘 여기 모인 우리의 목적입니다.

　그러한 이유 때문에 제가 이 선거전에 나선 것입니다.

　그저 대통령 직을 얻고자 함이 아니라 여러분과 함께 미국이라는 나라를 변화시키기 위해서 말입니다.

　정의와 기회를 위해, 그 다음 전투에서 이기고 싶습니다.

　보다 나은 학교와 보다 나은 일자리, 그리고 모두를 위한 건강보험을 위해 그 다음 전투에서 이기고 싶습니다.

　저는 여러분들이 우리의 연방을 완벽하게 만들고 보다 나은 미국을 건설하는 미완의 작업을 떠맡기를 바랍니다.

★　★　★

　만약 여러분이 이 불가능한 여정을 저와 함께하고 싶으시다면, 만약 여러분이 운명의 부름을 느끼신다면, 그리고 제가 보듯 여러분이 저와 함께 우리 앞에 펼쳐진 끝없는 가능성의 미래를 볼 수 있다면, 만약 제가 느끼듯 여러분이 지금이 바로 졸음을 떨치고, 두려움을 떨쳐 버리며, 우리가 과거와 미래의 세대에게 지고 있는 빚을 갚을 때임을 느끼신다면, 그럼 저는 그러한 대의명분을 받들 준비가 되어 있습니다. 그것도 여러분과 함께 전진하고, 여러분과 함께 일할 준비가 되어 있습니다. 오늘부터 다 함께, 해야 할 일을 끝내고, 이 지상 위에 새로운 자유의 태동을 맞아들이도록 합시다.

word tip!

take up 떠맡다 improbable 일어날 듯하지 않은 quest 탐구 여행 slumber 잠 slough off 벗어 버리다
make good 이행하다 usher 안내하다

A good compromise, a good piece of legislation,
is like a good sentence; or a good piece of music.
Everybody can recognize it. They say,
'Huh. It works. It makes sense.'

현명한 타협은, 현명한 법, 멋진 문장,
아니면 듣기 좋은 악곡과 같은 것이다.
"아, 정말 말이 되는 소리네"
하고 모두가 인정할 수 있는 것이다

"어리석은 전쟁"

"저는 모든 전쟁에 반대하지는 않습니다. 제가 반대하는 것은
어리석은 전쟁입니다. 제가 반대하는 것은 경솔한 전쟁입니다.
제가 반대하는 것은, 행정부에서 인명 손실이나 그로 인한 국민의
고초에 대해서는 아무런 관심 없이 주말에 안락의자에 앉아
용사인 척 자신들의 이념적인 문제들을 우리에게 강요하는 그런
사람들의 냉소적인 움직임입니다."

이 연설은 조지 부시 현직 대통령에게 정면으로
도전장을 던진 것과 같았다. 오바마는 이라크 전쟁이
잘못된 전쟁이라는 점을 부시 대통령과 구분되는
그의 명분으로 내걸었다. 이라크에서의 철군(撤軍)은
미 국민에 대한 그의 약속이다.

The Federal Plaza In Chicago. October 2002

2002 Speech
Against the Iraq War

★
★
★   I stand before you as someone who is not opposed to war in
★   all circumstances. The Civil War was one of the bloodiest in
★ history, and yet it was only through the **crucible** of the sword, the
★ sacrifice of **multitudes**, that we could begin to perfect this union
and drive the **scourge** of slavery from our soil.

I don't oppose all wars. My grandfather **signed up for** a war
the day after Pearl Harbor was bombed, fought in Patton's army.
He fought in the name of a larger freedom, part of that **arsenal** of
democracy that triumphed over evil.

I don't oppose all wars. After September 11, after witnessing
the **carnage** and destruction, the dust and the tears, I supported
this administration's pledge to **hunt down** and **root out** those
who would **slaughter** innocents in the name of **intolerance**, and I
would willingly take up arms myself to prevent such tragedy from
happening again.

I don't oppose all wars. What I am opposed to is a dumb war.
What I am opposed to is a **rash** war. What I am opposed to is the
cynical attempt by Richard Perle and Paul Wolfowitz and other
armchair, weekend warriors in this administration to **shove** their
own ideological agendas down our throats, **irrespective of** the
costs in lives lost and in hardships borne.

2002년 이라크전 반대 연설

저는 모든 상황에서의 전쟁을 반대하지는 않는 사람으로 여러분 앞에 섰습니다. 남북전쟁은 역사상 가장 잔인한 전쟁 가운데 하나였지만, 우리가 이 연방을 온전히 지키고 우리 땅에서 노예 제도라는 형벌을 몰아낼 수 있었던 것은 오로지 무력이라는 호된 시련, 즉 수많은 인명의 희생을 통해서였습니다.

저는 모든 전쟁에 반대하지는 않습니다. 저의 할아버지는 진주만이 폭격당한 다음 날 입대하셔서 패튼 장군의 휘하에 소속되어 싸웠습니다. 할아버지는 보다 많은 사람들의 자유를 위해 싸웠고, 그것이야말로 악과 대항하여 승리하는 민주주의라는 병기고의 일부였습니다.

★   ★   ★

저는 모든 전쟁에 반대하지는 않습니다. 9월 11일, 그 처참한 죽음과 폐허를 목격하고 그 숱한 먼지와 눈물을 목격한 뒤에, 저는 인내의 한계에 도달했다고 하면서 무고한 사람들을 살육한 자들을 끝까지 추적하여 색출하겠다는 이 행정부의 약속을 지지했으며, 그런 비극이 다시 일어나지 않도록 하기 위해서라면 제 손에 기꺼이 무기를 들 것입니다.

저는 모든 전쟁에 반대하지는 않습니다. 제가 반대하는 것은 어리석은 전쟁입니다. 제가 반대하는 것은 경솔한 전쟁입니다. 제가 반대하는 것은, 리처드 펄과 폴 월포위츠와 이 행정부에서 인명 손실이나 그로 인한 국민의 고초에 대해서는 아무런 관심 없이 주말에 안락의자에 앉아 용사인 척 자신들의 이념적인 문제들을 우리에게 강요하는 그런 사람들의 냉소적인 움직임입니다.

word tip!

crucible 가혹한 시련 multitudes 다수, 대중 scourge 천벌 sign up for ~에 참가하다 arsenal 무기
carnage 살육 hunt down 추적하다 root out 근절하다 slaughter 살해하다 intolerance 불관용 rash
무분별한 shove 밀어넣다 irrespective of ~에 상관없이

What I am opposed to is the attempt by **political hacks** like Karl Rove to **distract** us from a rise in **the uninsured**, a rise in the poverty rate, a drop in the median income, to distract us from corporate scandals and a stock market that has just gone through the worst month since the Great Depression.

That's what I'm opposed to. A dumb war. A rash war. A war based not on reason but on passion, not on principle but on politics.

Now let me be clear: I suffer no illusions about Saddam Hussein. He is a brutal man. A **ruthless** man. A man who **butchers** his own people to secure his own power.... The world, and the Iraqi people, would be better off without him.

But I also know that Saddam poses no imminent and direct threat to the United States, or to his neighbors...and that in concert with the international community he can be **contained** until, in the way of all petty dictators, he falls away into the dustbin of history.

I know that even a successful war against Iraq will require a U.S. occupation of **undetermined** length, at undetermined cost, with undetermined consequences.

제가 반대하는 것은 칼 로브와 같은 정치꾼들이 보험 혜택을 받지 못하는 사람들의 증가, 빈민율의 증가, 중산층 소득의 감소, 그리고 기업의 스캔들과 대공황 이래 최악의 시련을 겪은 주식 시장으로부터 다른 곳으로 우리의 관심을 돌리고자 하는 시도입니다.

★　★　★

　제가 반대하는 것은 바로 그것입니다. 어리석은 전쟁, 경솔한 전쟁, 이성이 아닌 감정에서 비롯된 전쟁, 원칙이 아닌 정략에서 비롯한 전쟁 말입니다.

　그리고 분명히 밝혀 두겠습니다. 저는 사담 후세인에 대해 착각하고 있는 게 아닙니다. 후세인은 잔인한 사람입니다. 그는 무자비한 인간입니다. 자신의 권력을 보장받기 위해 자신의 국민을 학살하는 자입니다. 그가 없다면 세상과 이라크의 국민들은 더욱 행복해질 것입니다.

★　★　★

　그러나 저는 후세인이 미국이나 주변국에 지금 당장 절박하고도 직접적인 위협이 되지 않는다는 사실을 알고 있으며, 국제사회와의 공조를 통해 사담 후세인도 여타의 모든 시시한 독재자들과 마찬가지로 역사의 쓰레기통에 버려질 그날까지 견제할 수 있다는 사실도 잘 알고 있습니다.

　저는 이라크와의 전쟁에서 승리한다는 기약조차 없이 이라크에 주둔해야 하고 무한정 비용을 대야 하며, 그것도 또한 예측할 수 없는 결과를 가져올 수 있다는 사실을 알고 있습니다.

word tip!

political hack 정치꾼　distract 혼란시키다　the uninsured 보험에 들지 않은 사람　ruthless 무자비한
butcher 도륙하다　contain 견제하다　undetermined 미정의, 알 수 없는

I know that an invasion of Iraq without a clear **rationale** and without strong international support will only **fan** the flames of the Middle East, and encourage the worst, rather than best, impulses of the Arab world, and strengthen the recruitment arm of al-Qaeda.

I am not opposed to all wars. I'm opposed to dumb wars. So for those of us who seek a more just and secure world for our children, let us send a clear message to the president.

You want a fight, President Bush? Let's finish the fight with Bin Laden and al-Qaeda, through effective, coordinated **intelligence**, and a shutting down of the financial networks that support terrorism, and a homeland security program that involves more than **color-coded** warnings.

You want a fight, President Bush? Let's fight to make sure that...we vigorously enforce a **nonproliferation** treaty, and that former enemies and current allies like Russia safeguard and ultimately eliminate their stores of nuclear material, and that nations like Pakistan and India never use the terrible weapons already in their possession, and that the arms merchants in our own country stop feeding the countless wars that **rage** across the globe.

저는 분명한 근거와 강력한 국제 사회의 지지가 없는 이라크 침공은 중동의 화약고에 부채질을 하고, 최선이라기보다는 최악의 사태를 조장한다는 것, 즉 아랍 세계를 자극하여, 알 카에다에 지원하는 사람을 늘어나게 할 것이라는 사실을 알고 있습니다.

★　★　★

저는 모든 전쟁에 반대하는 것이 아닙니다. 저는 어리석은 전쟁에 반대하는 것입니다. 그래서 우리는 우리의 자녀들을 위해 보다 더 공정하고 안전한 세상을 갈구하는 사람들로서 대통령에게 확실한 메시지를 전달합시다.

★　★　★

부시 대통령께서는 전쟁을 원하십니까? 빈 라덴과 알 카에다와의 싸움을 끝냅시다. 효율적이고 종합적인 정보를 통해서 말입니다. 그리고 테러를 지원하는 돈줄을 차단하고 색깔로 얘기하는 경보 조치 이상의 국가 안전 장치를 통해서 말입니다.

★　★　★

부시 대통령께서는 전쟁을 원하십니까? 핵확산금지조약을 적극적으로 시행하고, 예전엔 적이었다가 오늘날엔 동맹국이 된 러시아와 같은 나라들이 자국의 핵물질 창고에 안전장치를 설치하고 궁극적으로는 완전 제거하도록 조치하고, 파키스탄이나 인도 같은 나라들이 이미 소유하고 있는 자국의 끔찍한 무기들을 결코 사용하지 않도록 만들고, 그리고 우리나라의 군수 업자들이 전 세계에서 맹렬히 벌어지고 있는 무수한 전쟁에 무기를 공급하는 것을 중단시키기 위해서 싸웁시다.

word tip!

rationale 명분　fan ~에 부채질하다　intelligence 정보　color-coded 색깔로 구분된　nonproliferation 핵 비확산　rage 창궐하다

You want a fight, President Bush? Let's fight to make sure our so-called allies in the Middle East, the Saudis and the Egyptians, stop oppressing their own people, and suppressing **dissent**, and tolerating corruption and inequality, and mismanaging their economies so that their youth grow up without education, without prospects, without hope, the ready recruits of terrorist **cells**.

You want a fight, President Bush? Let's fight to **wean** ourselves off Middle East oil through an energy policy that doesn't simply serve the interests of Exxon and Mobil.

Those are the battles that we need to fight. Those are the battles that we willingly join. The battles against ignorance and intolerance. Corruption and greed. Poverty and despair.

The consequences of war are **dire**, the sacrifices **immeasurable**. We may have occasion in our lifetime to once again rise up **in defense of** our freedom, and pay the wages of war. But we ought not – we will not – travel down that hellish path blindly. Nor should we allow those who would march off and pay the ultimate sacrifice, who would prove the **full measure of** devotion with their blood, to make such an awful sacrifice in vain.

부시 대통령께서는 전쟁을 원하십니까? 중동에서 이른바 우리의 동맹국이라고 하는 사우디아라비아와 이집트가 국민들에게 압제를 가하고, 반대자들을 억압하고, 부패와 불평등을 허용하며, 경제 파탄을 불러와 자국의 청소년들이 교육받지 못하게 하고, 미래에 대한 꿈과 희망도 없이 자라 테러 조직에 손쉽게 가담하게 만드는 상황을 제지하기 위해 싸웁시다.

　부시 대통령께서는 전쟁을 원하십니까? 엑슨모빌사의 이익만을 보장하는 것이 아닌 새로운 에너지 정책을 통해 중동의 석유로부터 벗어나기 위해 싸웁시다.

　우리가 싸워야 할 대상은 바로 그런 것들입니다. 우리가 기꺼이 가담할 전투는 바로 그런 것들입니다. 무지와 무관용, 부패와 탐욕, 빈곤과 절망과의 싸움 말입니다.

★　★　★

　전쟁의 결과는 끔찍합니다. 그 희생이란 이루 말할 수 없습니다. 우리는 일생에 다시 한 번 자유를 지키기 위해 일어서서 전쟁의 대가를 치러야 할지도 모릅니다. 그러나 우리는 그러한 끔찍한 길을 맹목적으로 따라가서는 안 되며, 또한 따라가지도 않을 것입니다. 우리는 행군하며 목숨을 버린 이들, 자신의 피로써 온전한 헌신을 증명해 보인 이들의 그러한 끔찍한 희생을 헛된 것으로 만들어서도 아니 될 것입니다.

"In the face of impossible odds,
people who love their country can change it."

불가능한 상황에 직면하였을 때,
그 나라를 사랑하는 국민들은 그것을 변화시킬 수 있습니다.

Democratic National Convention Keynote Address

"미국은 오직 미국일 뿐이다!"

민주당 전당대회에서 오바마는 "흑인의 미국도 백인의 미국도, 라틴계의 미국도 아시아계의 미국도 없다. 미국은 오직 미국일 뿐이다"라는 2,300자가 채 안 되는 20분짜리의 짧은 기조연설을 했다.

케냐인 아버지, 백인 어머니, 인도네시아계인동생 등과 같은 가족 관계를 가지고 있는 오바마는 자체로 '다민족과 다문화'로 대변되는 미국사회 모습을 보여준다. 이를 보고 사람들은 오바마를 가리켜 다양한 인종과 문화가 융합돼 있다는 뜻으로 '사람 용광로(One-man-meltingpot)'라고 부르기도 한다.

오바바는 자신을 '흑인'이라고 하는 데, 이는 '소수(마이너리티)'에 입장에 서겠다는 입장을 보여준 것이며 이것이 또한 오바마의 정계 진출 이유이다. 2004년 여름 보스턴에서 열렸던 민주당 전당대회에서 인종에 관계없이 미국인은 모두 하나라는 이 기조연설로 그는 일약 전국적인 지명도를 얻었다.

★
★
★
★
★

On behalf of the great state of Illinois, crossroads of a nation, land of Lincoln, let me express my deep **gratitude** for the privilege of addressing this **convention**. Tonight is a particular honor for me because, let's face it, my presence on this stage is pretty unlikely. My father was a foreign student, born and raised in a small village in Kenya. He grew up herding goats, went to school in a tin-roof **shack**. His father, my grandfather, was a cook, a domestic servant.

But my grandfather had larger dreams for his son. Through hard work and **perseverance** my father got a scholarship to study in a magical place: America, which stood as a beacon of freedom and opportunity to so many who had come before. While studying here, my father met my mother. She was born in a town on the other side of the world, in Kansas. Her father worked on **oil rigs** and farms through most of the Depression. The day after Pearl Harbor he signed up for duty, joined Patton's army and marched across Europe. Back home, my grandmother raised their baby and went to work on a bomber assembly line. After the war, they studied on the GI Bill, bought a house through **FHA**, and moved west **in search of** opportunity.

민주당 전당 대회 기조연설

MP3 track 05.   http://www.youtube.com/watch?v=eWynt87PaJ0

미국 교통의 요충지이자 링컨을 배출한 땅인 위대한 일리노이 주를 대표하여 이 전당 대회에서 연설을 하게 된 데 대해 깊은 감사의 뜻을 표합니다. 오늘 밤은 제게 특별한 영광의 밤입니다. 사실대로 말씀드리자면 제가 이 자리에 서는 일은 거의 있을 수 없는 일이기 때문입니다. 저의 아버지는 케냐의 작은 마을에서 태어나고 자란 외국 유학생이었습니다. 아버지는 염소를 치고, 양철 지붕으로 된 판자촌 학교를 다녔습니다. 저의 할아버지는 영국인 가정의 요리사이자 하인으로 일했습니다.

★　★　★

그러나 할아버지는 아들을 위해 큰 꿈을 품고 있었습니다. 열심히 일하며 불굴의 인내심을 발휘한 아버지는 예전에 건너왔던 수많은 이들에게 자유와 기회의 등대로 여겨지는 마법의 땅 미국에서 공부할 수 있는 장학금을 받게 되었습니다. 이곳에서 공부하는 동안 아버지는 어머니를 만났습니다. 어머니는 아버지의 고향으로부터 지구 반대편에 위치한 캔자스에서 태어났습니다. 어머니의 아버지는 대공황 시절 유정 굴착 현장과 농장에서 일했습니다. 진주만 공격 다음 날, 외할아버지는 자진 입대하여 패튼 장군 휘하에 들어가 유럽으로 진군했습니다. 미국에 남아 있던 외할머니는 아기를 키우며 폭격기 조립 공장에서 일했습니다. 종전 후 그들은 제대군인원호법의 지원을 받아 학업을 마칠 수 있었고, 연방주택관리국을 통해 집을 장만하고 기회를 찾아 서부로 향했던 것입니다.

word tip!

gratitude 감사 convention 전당대회 shack 판잣집 perseverance 인내 oil rig 석유 굴착기 FHA (Federal Housing Administration) 연방주택관리국 in search of ~을 찾아서

And they, too, had big dreams for their daughter, a common dream, born of two continents. My parents shared not only an improbable love; they shared an **abiding** faith in the possibilities of this nation. They would give me an African name, Barack, or "blessed," believing that in a tolerant America your name is no barrier to success. They imagined me going to the best schools in the land, even though they weren't rich, because in a generous America you don't have to be rich to achieve your potential. They are both **passed away** now. Yet, I know that, on this night, they look down on me with pride.

I stand here today, grateful for the **diversity** of my **heritage**, aware that my parents' dreams live on in my precious daughters. I stand here knowing that my story is part of the larger American story, that I owe a debt to all of those who came before me, and that, in no other country on earth, is my story even possible. Tonight, we gather to affirm the greatness of our nation, not because of the height of our skyscrapers, or the power of our military, or the size of our economy. Our pride is based on a very simple **premise**, summed up in a **declaration** made over two hundred years ago, "We hold these truths to he self-evident, that all men are created equal. That they are endowed by their Creator with certain **inalienable** rights. That among these are life, liberty and the pursuit of happiness."

그리고 그들도 딸을 위해 더 큰 꿈을, 아메리카와 유럽의 두 대륙에서 함께 키운 꿈을 품고 있었습니다. 저의 부모님은 이룰 수 없는 사랑만을 공유한 것이 아니었습니다. 그들은 이 나라의 가능성에 대한 변함없는 신념도 함께 공유했던 것입니다. 그들은 제게 버락 (Barack), 즉 '축복받은 자'라는 뜻의 아프리카 이름을 지어 주시면서, 관용이 넘치는 미국 땅에서 제 이름이 성공에 걸림돌이 되지 않으리라고 믿었습니다. 부모님은 전혀 부유하지 않았지만 제가 이 땅에서 최고의 학교에 갈 수 있으리라는 꿈을 버리지 않았습니다. 왜냐하면 관대한 미국에서라면 돈이 많지 않아도 자기 능력을 맘껏 발휘할 수 있기 때문입니다. 지금은 두 분 모두 돌아가셨지만, 오늘 밤 저를 내려다보며 긍지를 느끼시리라 믿습니다.

★ ★ ★

그리고 제가 물려받은 이러한 다양성에 감사하는 마음으로 오늘 밤 이 자리에 선 저는, 부모님의 꿈이 저의 소중한 두 딸에게로 계속 이어져 나가고 있음을 알고 있습니다. 저는 이 자리에 서서 제 이야기가 더 큰 미국 이야기의 일부이며, 저보다 앞서 오신 모든 분들에게 빚을 지고 있고, 그리고 지구상 다른 어떤 나라에서도 저의 이야기가 가능할 수 없다는 사실을 알고 있습니다. 오늘 밤 우리는 미국의 위대함을 확인하러 이 자리에 모였지만, 그것은 고층 빌딩이나 군사력, 경제 규모 때문이 아닙니다. 우리의 자부심은 200년 전에 작성된 선언문에 요약돼 있는 무척 간단한 전제에 근거하고 있습니다. "우리는 다음의 것들을 자명한 진리라고 간주한다. 모든 인간은 평등하게 태어났으며, 창조주에 의해 몇 가지 양도할 수 없는 권리를 부여받았다. 그중에 생명과 자유, 행복의 추구가 있다."

That is the true genius of America, a faith in the simple dreams of its people, the **insistence** on small miracles. That we can **tuck in** our children at night and know they are fed and clothed and safe from harm. That we can say what we think, write what we think, without hearing a sudden knock on the door. That we can have an idea and start our own business without paying a bribe or hiring somebody's son. That we can participate in the political process without fear of **retribution**, and that our votes will he counted ? or at least, **most of the time**.

This year, in this election, we are called to reaffirm our values and **commitments**, to hold them against a hard reality and see how we are **measuring up**, to the **legacy** of our **forbearers**, and the promise of future generations. And fellow Americans ? Democrats, Republicans, Independents ? I say to you tonight: we have more work to do. More to do for the workers I met in Galesburg, Illinois, who are losing their union jobs at the Maytag plant that's moving to Mexico, and now are having to compete with their own children for jobs that pay seven bucks an hour.

More to do for the father I met who was losing his job and **choking back tears**, wondering how he would pay $4,500 a month for the drugs his son needs without the health benefits he **counted on**

그것이 미국의 진정한 정신입니다. 국민이 가지고 있는 단순한 꿈들에 대한 믿음, 작은 기적들에 대한 집요함 말입니다. 밤에 아이들을 잠재울 수 있으며, 아이들이 배불리 먹고, 따뜻하게 입고 위험으로부터 안전하다고 여기는 것. 아무런 위협 없이 생각하는 바를 말하고, 쓸 수 있는 것. 좋은 아이디어가 생기면 뇌물을 쓰지 않고도 사업을 시작할 수 있는 것. 그리고 보복의 두려움 없이 정치 활동에 참여할 수 있고, 적어도 대부분의 경우 우리의 표가 그 가치를 발휘하는 것 말입니다.

★　★　★

올해 이 선거에서 우리는 우리의 가치관과 공약을 다시금 확인하고, 가혹한 현실에 맞서 그것을 지켜내고, 선조들이 남긴 유산과 미래 세대의 희망 사이에서 우리가 어떻게 부합하고 있는지 살펴보기 위해서 부름을 받았습니다. 그리고 동료 미국인들, 민주당, 공화당, 무소속의 정치인들. 오늘 밤 여러분에게 촉구합니다. 우리에게는 해야 할 일이 더 많이 있습니다. 제가 일리노이 주 게일즈버그에서 만난 노동자들, 즉 메이택 공장이 멕시코로 이전하는 바람에 일자리를 잃고 이제 시간당 7달러짜리 일자리를 놓고 자기 자식과 경쟁해야 하는 그들을 위해 우리에게는 해야 할 일이 더 많이 있습니다.

제가 만난 한 아버지, 즉 일자리를 잃고서 자신이 의존했던 건강보험의 혜택 없이 한 달에 4,500달러나 하는 아들 약값을 어찌 해야 할지 몰라 걱정하며 목이 메던 그를 위해 우리에게는 해야 할 일이 더 많이 있습니다.

word tip!

insistence 고집 tuck in (아이들을 침대로) 보내다 retribution 보복 most of the time 대부분의 경우 commitment 약속, 의무 measure up 부합하다 legacy 유산 forbearer 조상 choke back tears 눈물을 머금다, 눈물을 참다 count on ~에 의지하다

More to do for the young woman in East St. Louis, and thousands more like her, who has the **grades**, has the **drive**, has the will, but doesn't have the money to go to college.

Don't get me wrong. The people I meet in small towns and big cities, in diners and office parks, they don't expect government to solve all their problems. They know they have to work hard to get ahead and they want to. Go into the **collar counties** around Chicago, and people will tell you they don't want their tax money wasted by a welfare agency or the Pentagon. Go into any inner city neighborhood, and folks will tell you that government alone can't teach kids to learn. They know that **parents** have to **parent**, that children can't achieve unless we raise their expectations and turn off the television sets and **eradicate** the **slander** that says a black youth with a book is acting white. No, people don't expect government to solve all their problems. But they sense, deep in their bones, that with just a change in priorities, we can make sure that every child in America **has a** decent **shot at** life, and that the doors of opportunity remain open to all. They know we can do better. And they want that choice.

이스트 세인트루이스에서 만난 젊은 여성과 그녀와 같은 수많은 사람들, 즉 성적도 우수하고 힘도 넘치고, 의지도 확고하지만 등록금이 없어 대학에 못 가는 사람들을 위해 우리에게는 해야 할 일이 더 많이 있습니다.

★ ★ ★

오해하지 마십시오. 제가 소도시와 대도시에서, 식당과 사무실 밀집 지역에서 만난 그 사람들은 정부가 모든 문제를 해결해 주기를 기대하지 않습니다. 그들은 출세하기 위해 열심히 일해야 한다는 사실을 잘 알고 있고, 그러기를 원하고 있습니다. 시카고 주위의 컬러 카운티에 가 보십시오. 그러면 사람들이 자신들이 낸 세금이 복지 기관이나 국방성에 의해 낭비되지 않기를 바란다고 말할 것입니다. 도심의 빈민가로 가 보십시오. 그러면 사람들이 정부의 힘만으로는 아이들을 가르칠 수 없다고 말할 것입니다. 그들은 부모 스스로가 부모 노릇을 해야 하며, 우리가 아이들의 기대치를 높여 주지 못하고, 텔레비전을 끄지 못하고, 책을 들고 다니는 흑인 젊은이에게 백인 흉내를 낸다고 비방하는 말들을 근절하지 않는다면, 아이들은 어떤 것도 성취할 수 없다는 사실을 알고 있습니다. 맞습니다. 국민들은 정부가 모든 문제를 해결해 주리라 기대하지 않습니다. 그러나 그들은 우선순위에 약간만 변화를 주어도 미국의 모든 어린이들이 삶의 희망을 얻고, 기회의 문이 모두에게 열릴 수 있으리라는 사실을 뼛속 깊이 느끼고 있습니다. 그들은 우리가 더 잘할 수 있다는 사실을 알고 있습니다. 그리고 그들은 그런 선택을 원합니다.

word tip!

grade 성적 drive 동기 collar counties 시카고의 행정구역 parent 부모, 돌보다 eradicate 근절하다
slander 중상모략 have a shot at 시도해 보다

In this election, we offer that choice. Our party has chosen a man to lead us who **embodies** the best this country has to offer. That man is John Kerry. John Kerry understands the ideals of community, faith, and sacrifice, because they've defined his life. From his heroic service in Vietnam to his years as prosecutor and **lieutenant governor**, through two decades in the United States Senate, he has **devoted** himself to this country. Again and again, we 've seen him make tough choices when easier ones were available. His values and his record affirm what is best in us.

John Kerry believes in an America where hard work is rewarded. So instead of offering **tax breaks** to companies shipping jobs overseas, he'll offer them to companies creating jobs here at home. John Kerry believes in an America where all Americans can afford the same **health coverage** our politicians in Washington have for themselves. John Kerry believes in energy independence, so we aren't held hostage to the profits of oil companies or the **sabotage** of foreign oil fields. John Kerry believes in the constitutional freedoms that have made our country the envy of the world, and he will never sacrifice our basic liberties nor use faith as a **wedge** to divide us. And John Kerry believes that in a dangerous world, war must be an option, but it should never be the first option.

이번 선거에서 저는 그러한 선택을 제시하고자 합니다. 우리 당은 이 나라가 제공해야 하는 최선의 것을 구현할 우리의 지도자를 선출했습니다. 바로 존 케리 상원의원입니다. 그는 지역 사회의 이상, 신앙, 그리고 희생의 의미를 이해하는 분입니다. 왜냐하면 그의 인생이 바로 그러한 가치를 대변하고 있기 때문입니다. 베트남의 영웅적인 참전에서 검사와 부지사로서의 세월에 이르기까지, 미합중국의 상원의원으로서의 20여 년 동안 그는 미국을 위해 헌신했습니다. 다시 한 번 말씀드립니다. 우리는 쉬운 선택을 할 수 있었음에도 불구하고 힘든 결정을 내린 그의 용단을 보았습니다. 그의 가치관과 이력이 우리 안에 있는 최선의 것을 확증하고 있습니다.

★　★　★

존 케리 상원의원은 근면이 보상받는 그런 미국을 믿고 있습니다. 그래서 그는 해외로 일자리를 빼돌리는 회사에는 세금 감면 혜택을 주지 않고 국내에서 일자리를 만드는 회사에게 그러한 혜택을 줄 것입니다. 그는 모든 미국인들이 워싱턴의 정치인들이 누리는 것과 똑같은 보험 혜택을 누릴 수 있는 그런 미국을 믿습니다. 그는 에너지의 비의존성을 믿습니다. 그래서 우리는 석유 회사의 이윤에 또는 해외 유정의 생산 차질에 인질로 잡혀 있지 않습니다. 그는 우리나라가 전 세계의 부러움을 사는 헌법상의 자유를 믿고 있습니다. 그래서 그는 우리의 기본적인 자유를 희생시키지 않을 것이며, 또한 신앙을 분열의 도구로 이용하지도 않을 것입니다. 그리고 그는 이렇게 위험한 세상에서 전쟁은 하나의 선택일 수밖에 없다고는 하지만 그것이 결코 최초의 선택이 되어서는 안 된다는 사실을 믿고 있습니다.

word tip!

embody 구현하다 lieutenant governor 부지사 devoted 헌신하다 tax break 감세 health coverage 의료보험 혜택 sabotage 방해 행위 wedge 도구

A while back, I met a young man named Shamus at the **VFW** Hall in East Moline, Illinois. He was a good-looking kid, six-two or six-three, clear-eyed, with an easy smile. He told me he'd joined the Marines and was heading to Iraq the following week. As I listened to him explain why he'd **enlisted**, his absolute faith in our country and its leaders, his devotion to duty and service, I thought this young man was all any of us might hope for in a child. But then I asked myself: Are we serving Shamus as well as he was serving us? I thought of more than 900 service men and women, sons and daughters, husbands and wives, friends and neighbors, who will not be returning to their hometowns. I thought of families I had met who were struggling to **get by** without a loved one's full income, or whose loved ones had returned with a limb missing or with nerves **shattered**, but who still lacked long-term health benefits because they were **reservists**. When we send our young men and women into harm's way, we have a solemn obligation not to **fudge** the numbers or shade the truth about why they're going, to care for their families while they're gone, to **tend to** the soldiers upon their return, and to never ever go to war without enough troops to win the war, secure the peace, and earn the respect of the world.

얼마 전, 저는 일리노이 주 이스트 몰린에 있는 해외 참전용사회(VFW) 회관에서 셰이머스라는 젊은이를 만난 적이 있습니다. 그는　　　 훤칠한 키에, 맑은 눈과 편안한 미소를 가진 잘생긴 청년이었습니다. 그는 해병대에 입대했으며, 다음 주에 이라크로 떠난다고 했습니다. 그가 입대한 이유를 설명할 때 우리나라와 우리나라의 지도자들에 대한 전적인 믿음과 의무와 군복에 대한 그의 헌신적인 자세 등을 듣고 있자니, 이 젊은이가 우리가 자녀에게서 바랄 수 있는 모든 것을 갖추었다는 생각이 들었습니다. 그러나 저는 이렇게 자문하게 되었습니다. "셰이머스가 우리를 위해 봉사하는 만큼 우리도 그에게 봉사하고 있는가?"라고 말입니다. 이제 다시는 고향으로 돌아오지 못할 900명의 남녀들, 아들딸들, 남편과 아내들, 친구와 이웃들이 떠올랐습니다. 사랑하는 이의 온전한 월급도 없이 힘들게 살아가고 있는 제가 만나 본 가족들, 또는 사랑하는 사람이 한쪽 수족을 잃고 귀향한 가족들, 또는 사랑하는 사람이 신경이 마비되어 돌아온 가족들, 그러나 그들이 예비군이라는 이유로 여전히 장기 의료 혜택조차 받지 못하는 가족들이 떠올랐습니다. 젊은이들을 위험 속으로 보낼 때 우리는 숫자들을 조작하거나 파병 이유에 관한 진실을 감추지 말아야 하고, 그들이 없는 동안에 가족을 돌봐주어야 하며, 돌아온 군인들을 보살피고, 그리고 전쟁에 이기고 평화를 확보하고 세계에 존경의 대상이 될 만한 병력 없이는 결코 섣불리 참전시키지 말아야 할 엄중한 의무를 갖고 있습니다.

word tip!

VFW (Veterans of Foreign Wars) 해외참전용사회 enlist 입대하다 get by 살아가다 shatter 파열하다 reservist 재향군인 fudge 날조하다 tend to 배려하다

Now let me be clear. We have real enemies in the world. These enemies must be found. They must be pursued and they must be defeated. John Kerry knows this. And just as Lieutenant Kerry did not hesitate to risk his life to protect the men who served with him in Vietnam, President Kerry will not hesitate one moment to use our military might to keep America safe and secure. John Kerry believes in America. And he knows it's not enough for just some of us to prosper. **For** alongside our famous individualism, there's another **ingredient** in the American **saga**.

A belief that we are connected as one people. If there's a child on the south side of Chicago who can't read, that matters to me, even if it's not my child. If there's a senior citizen somewhere who can't pay for her **prescription** and has to choose between medicine and the rent, that makes my life poorer, even if it's not my grandmother. If there's an Arab American family being **rounded up** without benefit of an attorney or due process, that threatens my civil liberties. It's that fundamental belief? I am my brother's keeper, I am my sister's keeper? that makes this country work. It's what allows us to pursue our individual dreams, yet still come together as a single American family. "E pluribus unum." Out of many, one.

이제 확실히 말해 두겠습니다. 세상에는 우리의 진정한 적이 존재합니다. 그런 적들은 색출해야 합니다. 그들을 끝까지 쫓아가서 반드시 패배시켜야 합니다. 존 케리는 이것을 알고 있습니다. 케리 대위가 베트남에서 같이 참전했던 병사들을 지키기 위해 자신의 목숨을 내놓는 데 주저하지 않은 것처럼, 케리 대통령은 미국을 안전한 곳으로 만들기 위해 우리의 군사력을 사용하는 데 한순간도 주저하지 않을 것입니다. 그는 미국을 믿고 있습니다. 그리고 우리 중 일부만의 번영으로는 충분하지 않다는 사실을 알고 있습니다. 왜냐하면 우리가 가지고 있는 유명한 개인주의와 견주어 보더라도 미국의 대서사시 속에는 또 하나의 중요한 요소가 있기 때문입니다.

★　★　★

우리 모두가 하나의 국민으로 묶여 있다는 믿음 말입니다. 시카고 남부에 글을 읽지 못하는 어린이가 있다면, 비록 그 아이가 우리 자식이 아니라 해도 그것은 우리의 문제입니다. 어딘가에 살고 있는 노인이 약값을 내지 못해 약값과 집세 사이에서 갈등하고 있다면, 그분이 우리 할머니가 아니라 하더라도 그것으로 인해 우리의 삶은 더욱 가난해집니다. 어느 아랍계 미국인 가족이 변호사도 선임하지 못한 채로 올바른 절차 없이 체포된다면, 그 사건은 우리의 인권을 위협하는 것입니다. 그러한 기본적인 믿음, 내가 바로 우리의 형제자매를 지켜야 한다는 기본적인 믿음이야말로 이 나라를 움직이게 하는 원동력입니다. 그것이 우리로 하여금 개인적인 꿈을 추구하게 하는 힘입니다. 그러나 그것은 미국이라는 단일 가족으로서 이루어져야 합니다. "E Pluribus unum." 여럿에서 하나가 된다는 뜻입니다.

word tip!

for ~이기 때문에　ingredient 성분　saga 무용담　prescription 처방약　round up 체포하다

Yet even as we speak, there are those who are preparing to divide us, the **spin** masters and negative ad **peddlers** who **embrace** the politics of **anything goes**. Well, I say to them tonight, there's not a liberal America and a conservative America there's the United States of America. There's not a black America and white America and Latino America and Asian America; there's the United States of America. The **pundits** like to **slice-and-dice** our country into Red States and Blue States; Red States for Republicans, Blue States for Democrats. But I've got news for them, too. We worship an awesome God in the Blue States, and we don't like federal agents **poking around** our libraries in the Red States. We coach Little League in the Blue States and have gay friends in the Red States. There are patriots who opposed the war in Iraq and patriots who supported it. We are one people, all of us pledging **allegiance** to **the stars and stripes**, all of us defending the United States of America.

In the end, that's what this election is about. Do we participate in a politics of cynicism or a politics of hope? John Kerry calls on us to hope. John Edwards calls on us to hope. I'm not talking about blind optimism here? the almost willful **ignorance** that thinks unemployment will go away if we just don't talk about it, or the health care crisis will solve itself if we just ignore it. No, I'm talking about something more **substantial**.

지금 우리가 이야기를 하고 있는 순간에도 우리를 갈라 놓으려 준비하는 무리들이 있습니다. 자기 멋대로의 정치를 수용하는 정치 대변자들과 흑색선전을 유포하는 비방꾼들 말입니다. 오늘 밤 저는 그들에게 말합니다. 민주당의 미국과 공화당의 미국이 따로 있는 것이 아니라 하나의 미합중국이 있을 뿐이라고 말입니다. 흑인의 미국, 백인의 미국, 라틴계 미국, 아시아계 미국이 따로 있는 것이 아니라 하나의 미합중국만이 있을 뿐이라고 말입니다. 정치 전문가들은 우리나라를 붉은 주(州)와 푸른 주로 나누어 붉은 주는 공화당 주, 푸른 주는 민주당 주로 구분하기를 좋아합니다. 그러나 그들에게도 전해 줄 소식이 있습니다. 푸른 주에 사는 우리 국민도 경외하는 신을 믿고, 붉은 주에 사는 우리 국민도 연방 수사관들이 도서관을 함부로 들쑤시고 다니는 것을 원치 않는다는 사실 말입니다. 푸른 주에서도 부모들은 어린이 야구단의 감독 노릇을 하고, 붉은 주에서도 동성애자들과 친구 사이가 된다는 사실 말입니다. 이라크 전쟁에 반대하는 애국자도 있고, 찬성하는 애국자도 있다는 사실 말입니다. 우리는 한 국민이고 우리 모두는 국기에 대한 맹세를 하며, 우리 모두는 미국을 방위한다는 사실을 말입니다.

★　★　★

결국 그것이 이번 선거의 핵심입니다. 우리는 냉소주의 정치 또는 희망의 정치 중에 어디에 참여합니까? 존 케리는 우리에게 희망을 가지라고 요구합니다. 존 에드워즈는 우리에게 희망을 가지라고 요구합니다. 저는 이 자리에서 맹목적 낙관주의를 얘기하고 있는 것이 아닙니다. 진짜 맹목적인 낙관주의란 그저 입에 올리지만 않으면 실업 문제가 사라질 거라고, 무시하기만 하면 건강보험의 위기가 저절로 해결될 것이라고 믿는 거의 고의적인 무지를 일컫는 말입니다. 맞습니다. 제가 이야기하는 것은 좀 더 실질적인 문제입니다.

word tip!

spin 조작　peddler 행상　embrace 채택하다　anything goes 무슨 짓을 해도 괜찮다　pundit 속물　slice-and-dice 토막내다　poke around 꼬치꼬치 캐고 다니다　allegiance 충성　the stars and stripes 성조기　ignorance 무시　substantial 실질적인

It's the hope of slaves sitting around a fire singing freedom songs; the hope of immigrants **setting out** for distant shores; the hope of a young naval lieutenant bravely patrolling the Mekong Delta; the hope of a millworker's son who dares to defy the odds; the hope of a skinny kid with a funny name who believes that America has a place for him, too. The **audacity** of hope!

In the end, that is God's greatest gift to us, the **bedrock** of this nation; the belief in things not seen; the belief that there are better days ahead. I believe we can give our middle class **relief** and provide working families with a road to opportunity. I believe we can provide jobs to the jobless, homes to the homeless, and reclaim young people in cities across America from violence and despair. I believe that as we stand on the crossroads of history, we can make the right choices, and meet the challenges that face us. America!

Tonight, if you feel the same energy I do, the same urgency I do, the same passion I do, the same hopefulness I do ? if we do what we must do, then I have no doubt that all across the country, from Florida to Oregon, from Washington to Maine, the people will rise up in November, and John Kerry will be **sworn in** as president, and John Edwards will be sworn in as vice president, and this country will reclaim its promise, and out of this long political darkness a brighter day will come. Thank you and God bless you.

모닥불에 둘러앉아 자유의 노래를 부르던 노예들의 희망, 머나먼 이국을 향해 출발하던 이주민들의 희망, 메콩 강 삼각주를 용감하게 정찰하던 젊은 해군 대위의 희망, 과감하게 역경에 도전하는 공장 노동자 아들의 희망, 미국은 자신을 위한 나라임을 믿었던, 우스꽝스러운 이름을 가진 말라깽이 꼬마의 희망 말입니다. 희망의 담대함 말입니다!

★ ★ ★

결국 그것이 바로 신께서 우리에게 주신 가장 큰 선물이며, 이 나라의 토대입니다. 보이지 않는 것에 대한 믿음, 더 좋은 날이 올 것이라는 믿음 말입니다. 저는 우리가 중산층의 고통을 덜어 주고, 근로자 가정에 기회의 길을 열어 줄 수 있다고 믿습니다. 저는 우리가 일자리 없는 사람들에게 일자리를, 집 없는 사람들에게 집을 제공하고, 미국 전역의 도시 젊은이들을 폭력과 절망에서 구해 낼 수 있다고 믿습니다. 저는 우리가 지금 역사의 기로에 서 있으나 올바른 선택을 할 수 있고, 또한 우리가 직면하고 있는 도전에 맞설 수 있다고 믿습니다. 그것이 바로 미국입니다!

★ ★ ★

오늘 밤, 저와 같은 활력을 느끼신다면, 저와 같은 절박감을 느끼신다면, 저와 같은 열정을 느끼신다면, 저와 같은 희망을 느끼신다면, 우리가 해야 할 일을 한다면, 그러면 미국 전역에서, 플로리다에서 오리건까지, 워싱턴에서 메인까지, 11월에는 미 국민 모두가 일어날 것이며 존 케리가 대통령으로서 선서를 할 것이고 존 에드워즈가 부통령으로서 선서할 것이며, 이 나라가 그 미래를 새롭게 개척하리라 믿어 의심치 않습니다. 그리고 마침내 우리는 이 기나긴 정치적 어둠에서 벗어나 보다 밝은 날을 보게 될 것이라는 사실 또한 믿어 의심치 않습니다. 감사합니다. 신의 축복이 함께하시길.

word tip!

set out 출발하다 audacity 담대함 bedrock 초석 relief 위안. 구제 swear in 취임 선서를 시키다

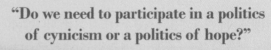

"Do we need to participate in a politics
of cynicism or a politics of hope?"

저희는 냉소적인 정치에 참여해야 됩니까
아님 희망의 정치에 참여하여야 됩니까?

Night Before
the Election

"이미 최초의 흑인 대통령이 탄생하다"

이미 선거 하루 전 날 미국의 거의 모든 매체는
민주당 버락 오바마 후보가 압승을 거둬 232년
미 역사상 최초의 흑인 대통령이 되어 새 역사를
쓰게 될 것을 기정사실화 했다.
이날 플로리다, 노스캐롤라이나, 버지니아 등
세 지역을 순회한 것으로 모든 선거 일정을 끝낸
오바마 후보는 "여러분들이 모두 미소를 짓고 있는 것을
보니 승리를 확신하고 있는 것 같다."며 일찌감치
대선승리를 자신했다.

★
★
★
★
★

What a scene. What a crowd. Thank you for Virginia. (Crowd **chants** "yes we can.")

Let me start by noting, Virginia that this is our last rally. This is the last rally of a campaign that began nearly 2 years ago. We've gone to every corner of this country, from here in Northern Virginia to the rocky coasts of Maine, to the open plains of Texas, to the open skies of Montana.

I just want to say that whatever happens tomorrow, I have been deeply **humbled** by this journey. You have welcomed Michelle and me and the girls into your homes. You have shared your stories of struggle, you have spoken of your dreams, along the way, talking with all of you about your own lives.

You have **enriched** my life, you have moved me again and again. You have **inspired** me. Sometimes when I have been down you have lifted me up. You filled me with new hope for our future and you have reminded me about what makes America so special.

대선 전야의 연설

MP3 track 06.

정말 대단한 광경입니다. 정말 많은 분들이 모였군요. 버지니아 주민 여러분, 감사합니다. (사람들이 "그래, 우리는 할 수 있어요."라고 소리친다.)

★ ★ ★

먼저 오늘 밤 우리의 마지막 집회가 버지니아에서 시작된다는 사실을 말씀드리고자 합니다. 거의 2년 전 시작된 이 선거 유세의 마지막 집회입니다. 우리는 이 나라의 모든 구석구석을 다녔습니다. 여기 북부 버지니아에서부터 메인의 암벽 해안, 텍사스의 대평원, 그리고 몬태나의 드넓은 하늘에 이르기까지 말입니다.

저는 내일 무슨 일이 생기더라도 이러한 여정 덕분에 한없이 겸손한 마음을 갖게 되었다는 사실을 말씀드리고 싶습니다. 여러분은 아내인 미셸과 저, 그리고 저의 두 딸을 여러분의 가정에 기꺼이 초대해 주셨습니다. 여러분은 자신들의 고된 일상사를 들려주셨습니다. 여러분은 자신들의 꿈에 대해서 말씀해 주셨습니다. 줄곧 여러분 모두의 삶에 대해서 모두 함께 이야기했습니다.

★ ★ ★

여러분은 저의 인생을 풍요롭게 해 주셨습니다. 여러분은 저를 계속해서 전진하게 해 주셨습니다. 여러분은 제게 영감을 주셨습니다. 가끔 제가 쓰러졌을 때 여러분은 저를 일으켜 세워 주셨습니다. 여러분은 우리의 미래에 대한 새로운 희망으로 저를 가득 채워 주셨고, 미국이 왜 그토록 특별한 나라인지를 저에게 다시금 깨닫도록 해 주셨습니다.

word tip!

chant 일제히 외치다 humble 겸허하게 하다 enrich 풍부하게 하다 inspire ~에게 영감을 주다

In the places I have gone and the people I have met, I have been **struck** again and again by the fundamental decency and **generosity** and dignity of men and women who work hard without complaint, to meet their responsibilities every day.

I come away with an unyielding belief that if we only had a government as responsible as all of you, as **compassionate** as the American people, that there is no obstacle that we can't overcome. There is no destiny that we cannot fulfill.

Virginia, I have just one word for you, just one word. Tomorrow. Tomorrow. After decades of broken politics in Washington, 8 years of failed policies from George Bush, twenty-one months of campaigning, we are less then one day away from bringing about change in America.

Tomorrow you can turn the page on policies that put greed and **irresponsibility** before hard work and sacrifice. Tomorrow you can choose policies that invest in our middle class, create new jobs and grow this economy so that everybody has a chance to succeed. Not just the CEO but the secretary and the **janitor**; not just the factory owner but the men and women who work the factory floor.

제가 방문한 곳들, 제가 만났던 사람들에게서, 저는 매일 주어진 책임을 다하기 위해 군소리 없이 열심히 일하는 모든 남녀 여러분들의 기본적인 교양과 후덕함 그리고 품위를 보고 다시금 커다란 감명을 받았습니다.

★　★　★

저는 여러분만큼 정부가 책임감이 있고, 미국 국민만큼 정부가 따뜻하다면 우리가 극복하지 못할 장애는 하나도 없다는 불굴의 신념을 갖고 길을 떠납니다.

버지니아를 위해 제가 드릴 말씀이 하나 있습니다. 단 한 마디의 말입니다. 내일. 내일이라는 말입니다. 수십 년간에 걸친 워싱턴의 망가진 정치, 조지 부시 대통령의 8년간에 걸친 실패한 정책들, 21개월간의 선거 유세를 겪고 나서 우리는 미국의 변화를 가져올 단 하루도 안 되는 시간을 앞에 두고 있습니다.

★　★　★

내일 여러분은 근면과 희생을 멀리하고 탐욕과 무책임을 우선시한 정책에 대한 심판의 새로운 페이지를 넘길 수 있습니다. 내일 여러분은 중산층에 투자하고, 새로운 일자리를 창출하며 우리의 경제를 키워서 모든 사람들이 성공할 수 있는 기회를 가질 수 있는 정책을 선택할 수 있습니다. CEO뿐만 아니라 비서와 경비, 공장 주인뿐만 아니라 작업장에서 일하는 모든 남녀 근로자들까지도 말입니다.

---

word tip!

strike 감동시키다　generosity 관대함　compassionate 인정 많은　irresponsibility 무책임　janitor 수위

Tomorrow you can **put an end to** the politics that would divide a nation just to win an election; that puts reason against reason, and city against town, Republican against Democrat; that asks us to fear at a time when we need to hope.

Tomorrow, at this defining moment in history, you can give this country the change that we need. It starts here in Virginia. It starts here in Manassas. This is where change begins.

Our campaign has not been perfect. There are times when I look back and I've said, "you know I wouldn't have done that if I had thought about it a little bit more." But I'll tell you what. When you think about this campaign we've got a lot to be proud of **when it comes to** the **tone** that we have set.

We tried to argue issues and not engage in **personal attacks**. We've been **fierce** in defending ourselves but we've tried to make sure that we are always reminding our supporters that all of us are in this together. Black, white, Hispanic, native American, Asian, Democrats and Republicans, young and old, rich and poor, gay and straight, disabled and not disabled, all of us have something to contribute.

내일 여러분은 단지 선거에서 이기기 위해 한 나라를 분열시킬 정치에 종지부를 찍을 수 있습니다. 서로의 이성적 의견을 갈라 놓고 도시와 소도시를 갈라 놓고 공화당과 민주당을 갈라 놓는 그런 정치와, 우리에게 희망이 필요한 시점에 우리를 두렵게 만드는 정치에 종지부를 찍을 수 있습니다.

내일, 역사상 이런 결정적인 순간에, 여러분은 이 나라에 우리가 원하는 변화를 가져올 수 있습니다. 이곳 버지니아에서 시작됩니다. 머내서스 여기에서 시작됩니다. 이곳이 변화가 시작되는 곳입니다.

$\star$　$\star$　$\star$

우리의 선거 유세는 완벽하지는 않았습니다. 제가 돌이켜 생각해 보고 이렇게 말한 적이 있습니다. "있잖아, 내가 조금만 더 생각을 했더라면, 그렇게는 하지 않았을 텐데 말이지." 그러나 제가 말씀드릴 것은 여러분이 이 선거 유세에 대해서 생각하게 되면, 우리가 정한 선거 논조에 관해 자랑스러운 부분이 많다는 것입니다.

$\star$　$\star$　$\star$

우리는 문제를 논쟁의 기회로 삼으려고 했지만 인신공격에는 관여하지 않으려고 애썼습니다. 우리는 우리 스스로를 방어하기 위해 치열했지만, 항상 우리의 지지자들에게 우리 모두가 이 일에 함께 동참하고 있음을 확실히 상기시켜 주려고 노력했습니다. 흑인, 백인, 히스패닉, 아메리칸 인디언, 아시아계, 민주당과 공화당, 젊은이와 노인, 부자와 가난한 자, 게이와 게이가 아닌 사람, 장애인과 비장애인을 망라한 우리 모두는 도움이 될 만한 무언가를 가지고 있습니다.

word tip!

put an end to 끝내다　when it comes to ~에 관해 말한다면　tone 품격　personal attack 인신공격
fierce 사나운

We tried to communicate for these last two years that we can't afford the same political games, the same tactics that **pit** us against one another, that make us afraid of each other. We can't afford that anymore. Not this time. Despite what our opponents might claim, there are no real or fake parts of Virginia anymore and then there are real or fake parts of America.

There is no city or town that is more pro-America than anywhere else. We are all one nation. All of us proud. All of us patriots. All of us **salute** this flag.

The men and women who serve on our battlefields come from many walks of life, different political parties, but they fought together and they bled together. Some die together under the same proud flag. They have not served red America or blue America, they have served the United States of America. And that is what this campaign has been about, we're calling us to serve the United States of America.

In this campaign I have had the privilege to witness what is best in America, in the stories, in the faces, of men and women I have met at countless rallies, town hall meetings, VFW halls, living rooms, diners, all across America, men and women who shared with me their stories and spoke of their struggles but they also spoke of their hopes and dreams. They want for their children a sense of obligation and debts to be paid to earlier generations.

우리는 지난 2년간 우리가 똑같은 정치 놀음을, 우리를 서로 싸우게 만드는 똑같은 술수, 그리고 서로를 두려워하게 만드는 그런 술수를 감당할 수 없다는 사실을 얘기하고자 노력했습니다. 우리는 더 이상 그럴 여유가 없습니다. 이번에는 아닙니다. 우리를 반대하는 사람들이 주장하는 바에도 불구하고, 더 이상 진짜 버지니아나 가짜 버지니아, 진짜 또는 가짜 미국은 없습니다. 다른 지역보다 더 미국적인 도시나 마을이란 없습니다. 우리 모두는 한 민족의 국가입니다. 우리 모두 자랑스럽게 생각합니다. 우리 모두 애국자들입니다. 우리 모두 이 국기에 경례를 합니다.

★ ★ ★

전장에서 싸우는 남녀 군인들은 서로 살아온 길도 다르고 지지하는 정당도 다르지만 함께 싸우고 함께 피를 흘렸습니다. 일부는 똑같은 자랑스러운 깃발 아래 함께 죽음을 맞았습니다. 그들은 빨간색의 미국 또는 파란색의 미국을 위해 싸운 것이 아니라 미합중국을 위해서 싸웠습니다. 그리고 그것이 이 선거 유세를 하는 이유이며, 우리는 우리에게 미합중국을 위해 싸워 줄 것을 요청하고 있는 것입니다.

선거 유세를 다니며 저는 미국에서 최고의 것이 무엇인지를 목격하는 특권을 누렸습니다. 셀 수 없이 무수한 집회에서, 국민과의 만남에서, 미국 해외 종군 군인회에서, 미국 전역에서, 저와 함께 이야기를 나누고 자신들의 고단한 인생을 얘기하지만 또한 자신들의 희망과 꿈을 얘기했던 모든 사람들의 모습에서 그러한 특권을 누렸습니다. 그들은 자신의 자녀들을 위해 의무감과 부채 의식 등이 이전의 세대들에게 지불되기를 바라고 있습니다.

word tip!

pit 이간질시키다　solute ~에 경례하다

I met one of those women in Greenwood, South Carolina. It was back early when we were **way** back in the polls. Nobody gave us much of a chance back then. I had gone to South Carolina early in the campaign to see what I could **stir up** in the way of **endorsements**, and I was at a **legislative** dinner sitting next to a state representative that I really wanted to endorse me. So I turned to her and I said "I really want your endorsement." And she looked at me and she said "I'll tell you what, Obama, I will give you my endorsement if you come to my hometown of Greenwood, South Carolina." I must have had a **sip** of wine or something that night because right away I said "Okay. I'm coming."

So the next time I come to South Carolina it's about a month later. We fly in about midnight. We get to the hotel about one o'clock in the morning. I'm exhausted. I'm dragging my bags to my room when I get a **tap** on my shoulder and I look back and it is one of my staff people who says "Senator we need to be out of the hotel by 6 a.m." I say "Why is that?" He says "because we have to go to Greenwood, like you promised."

저는 사우스캐롤라이나 주 그린우드에서 그러한 여성들 중 한 분을 만났습니다. 그때는 우리가 투표에서 한참 밀리고 있던 초반부였습니다. 아무도 우리에게 그 만큼의 기회를 주지 않았습니다. 전 유세 초반, 제가 지지를 얻고자 하는 일정에서 어떤 반향을 불러일으킬지 알아보기 위해서 사우스캐롤라이나로 갔습니다. 그리고 저는 제가 정말로 지지를 받았으면 했던 주 대의원 옆에 앉아서 입법부와 함께 저녁 식사를 하고 있었습니다. 저는 그 의원 쪽을 향해 "저는 정말 의원님의 지지가 필요합니다."라고 말했습니다. 그러자 의원님은 저를 쳐다보면서 "당신이 만약에 사우스캐롤라이나에 있는 제 고향 그린우드에 오시면 당신을 지지하겠습니다."라고 말했습니다. 제가 당장에 "좋습니다. 가겠습니다."라고 말한 것으로 보아 그날 밤 분명 와인인가 뭔가를 한 모금 마셨던 것 같습니다.

★　★　★

그리고 나서 약 한 달 후 저는 사우스캐롤라이나에 옵니다. 우리는 자정 즈음에 비행기를 타서 새벽 한 시쯤 호텔에 도착합니다. 전 지쳤습니다. 제가 제 짐을 끌고 방으로 들어가는데 누가 어깨를 쳐서 뒤돌아보니까 참모 중의 한 사람이 "의원님, 내일 아침 6시까지 체크아웃해야 합니다"라고 말합니다. 제가 "왜 그렇죠?"라고 물으니 그는 "의원님께서 약속했던 것처럼 그린우드에 가야 하기 때문이죠"라고 말합니다.

word tip!

way 훨씬　stir up (활기를) 불어넣다　endorsement 지지 표명　legislative 입법부　sip 한 모금　tap 두드림

So the next morning I wake up and I feel terrible, and I think I am **coming down with** a cold, my back is sore, I feel worse than when I went to bed. I open up the curtains in the hotel room to get some sunlight in and hopefully wake me up, but it's pouring down rain. I go outside my room and get the New York Times, and there is a bad story about me in the New York Times. I go downstairs after I pack, and my umbrella blows open and I get soaked, so by the time I get in the car I am mad, I am wet and I am sleepy.

We drive, and we drive, and we drive. It turns out that Greenwood is about an hour and a half from everywhere else. Finally we get to Greenwood. First of all you do not know you're in Greenwood when you get to Greenwood, there aren't a lot of tall buildings in Greenwood. We **pull off** to a small building — a little field house in a park — and we go inside, and **low and behold**, after an hour and a half drive, turns out there are 20 people there. Twenty people. They look all kind of **damp** and sleepy, maybe they aren't really excited to be there either.

But I am a professional, I've got to do what I got to do. I'm going around, I'm shaking hands, I am saying "How are you doing? What are you doing?"

그 다음날 아침에 깨 보니 컨디션이 좋지 않습니다. 그래서 저는 등도 아프고 감기가 오려나 하고 생각합니다. 어제 잠자리에 들 때보다 더 상태가 좋지 않습니다. 저는 호텔 방의 커튼을 활짝 열고 빛이 들어오게 해서 잠에서 깨어나려고 하지만 비가 억수로 옵니다. 저는 방에서 나와 〈뉴욕 타임스〉를 갖고 들어옵니다. 거기에 저에 대한 나쁜 이야기가 실려 있습니다. 저는 짐을 싸고 난 후 아래층으로 내려갑니다. 우산이 펴지면서 날아가 버리고 저는 흠뻑 젖습니다. 그래서 차에 탈 때 즈음에는 화가 납니다. 비에 젖었고 잠은 오니 말입니다.

우리는 차를 몰고 또 몰고 계속 몹니다. 그린우드는 어떤 곳에서나 대략 한 시간 반 정도의 거리에 있는 것이었습니다. 결국 우리는 그린우드에 도착합니다. 무엇보다도 그린우드에 도착해도 정말 도착했는지 알 수가 없습니다. 그린우드에는 고층 건물들이 많이 없습니다. 우리는 작은 건물, 그러니까 공원에 딸린 조그마한 건물 앞에 차를 댑니다. 그리고 안으로 들어갑니다. 그런데 어찌된 셈일까요! 한 시간 반이나 달려온 길인데 그곳에는 고작 20명의 사람들만 앉아 있습니다. 20명입니다. 그들 모두는 축 처져서 졸린 모습입니다. 어쩌면 그들도 그곳에 그러고 있는 것이 신이 나지 않을지도 모릅니다.

★　★　★

그러나 전 프로입니다. 목에 칼이 들어와도 할 일은 해야 합니다. 전 주변을 둘러봅니다. 악수를 합니다. 그리고 "안녕하세요? 어떠세요?" 하고 인사를 건넵니다.

word tip!
come down with ~에 걸리다　pull off 차를 대다　low and behold 이거 봐라!　damp 의기소침한

As I go around the room suddenly I hear this voice cry out behind me **"fired up."** I'm shocked. I jumped up. I don't know what is going on. But everyone else acts as though this were normal and they say "fired up." Then I hear this voice say "ready to go." And the 20 people in the room act like this happens all the time and they say "ready to go".

I don't know what's going on so I looked behind me and there is this small woman, about 60 years old, a little over 5 feet, looks like she just came from church — she's got on a big church hat. She's standing there, she looks at me and she smiles and she says "fired up."

It turns out that she was a city Councilwoman from Greenwood who also **moonlights** as a private detective. I'm not **making** this **up**. And it turns out that she is famous for her chant. She does this where ever she goes. She says "fired up" and the people say "fired up", and she says "ready to go" and they say "ready to go."

For the next five minutes she proceeds to do this. "Fired up?" and everyone says "fired up" and she says "ready to go" and they say "ready to go." I'm standing there and I'm thinking I'm being **outflanked** by this woman.

제가 방을 이리저리 둘러보는데 갑자기 뒤에서 이렇게 외치는 목소리가 들립니다. "신 나죠." 저는 쇼킹했습니다. 펄쩍 뛰었습니다. 무슨 일인지 영문을 모릅니다. 그러나 모든 사람들이 이것이 마치 늘상 있는 일인 듯 행동하며 "신이 납니다"라고 말을 합니다. 그리고 나서 저는 이렇게 말하는 소리를 듣습니다. "준비되었죠." 그리고 방 안에 있는 그 20명의 사람들이 이런 일이 항상 있는 일인 양 "준비되었습니다"라고 말을 합니다.

　제가 영문을 모른 채 뒤를 돌아보니 조그마한 체구의 60살쯤 되어 보이는 이 여자 분이 있습니다. 키는 1미터 50이 조금 넘어 보이는데 방금 교회에서 온 것처럼 커다란 교회 예배 모자를 쓰고 있습니다. 그녀는 거기에 서서 저를 쳐다보면서 미소를 띠며 "신 나시죠"라고 말을 합니다.

★　★　★

　그녀는 그린우드 시 시의회 의원이면서 부업으로 사립탐정을 하는 사람으로 밝혀집니다. 지어낸 이야기가 아닙니다. 그녀는 그러한 구호로 유명한 사람이란 사실이 드러납니다. 그녀는 가는 곳마다 이런 구호를 외칩니다. 그녀가 "신이 나죠"라고 하면 사람들은 "신이 납니다"라고 하고, 그녀가 "준비되었죠"라고 하면 사람들은 "준비되었습니다"라고 말합니다.

　다음 5분 동안 그녀는 이런 행동을 계속합니다. "신이 나죠?" 그러면 모든 사람들이 "신이 납니다"라고 말하고 그녀가 "준비되었죠"라고 말하면 그들은 "준비되었습니다"라고 말을 합니다. 저는 거기에 서서 이 여자한테 허를 찔리고 있다는 생각을 합니다.

word tip!

fired up 고무된　moonlight 밤에 부업을 하다　make up 꾸며내다　outflank 허를 찌르다

She's **stealing my thunder**. I look at my staff and they **shrugged** their shoulders, they don't know how long this is going to go on.

But here's the thing, Virginia. After a minute or so I am feeling kind of fired up. I'm feeling like I'm ready to go. So I join in the chant. It feels good. For the rest of the day, even after we left Greenwood, even though it was still raining, even though I was still not getting big crowds anywhere, even though we hadn't gotten the endorsement from the people we were hoping for, somehow I felt a little lighter, a little better. I'd see my staff and I would say "Are you fired up?" and they would say "We are fired up, boss, are you ready to go?" And I'd say "I'm ready to go."

Here's my point, Virginia. That's how this thing started. It shows you what one voice can do. That one voice can change a room. And if a voice can change a room, it can change a city, and if it can change a city, it can change a state, and if it can change a state, it can change a nation, and if it can change a nation, it can change the world.

Virginia, your voice can change the world tomorrow. In 21 hours if you are willing to endure some rain, if you are willing to drag that person you know who is not going to vote, to the polls.

그녀는 선수를 친 것입니다. 참모들을 보자 그들은 어깨를 으쓱거립니다. 그들은 이게 얼마나 오래 지속될지 모릅니다.

그러나 여기에 중요한 키가 있습니다. 버지니아 주민 여러분. 일 분여 남짓이 지난 후에 저는 신이 나는 느낌을 받습니다. 저는 시작할 준비가 되었다는 느낌을 갖습니다. 그래서 저는 그 구호에 참여합니다. 기분이 좋습니다. 그날의 나머지 시간 동안에, 우리가 그린우드를 떠나고 나서도, 비록 여전히 비가 오고 있어도, 비록 제가 다른 곳에서도 많은 사람들 앞에 서지 못해도, 비록 우리가 바라는 사람들의 지지를 얻지 못한다 하더라도, 저는 어쩐지 마음이 더 가벼워졌고, 기분이 더 좋아졌습니다. 제가 참모들보고 "신이 납니까?"라고 하면 참모들은 "예, 신이 납니다. 준비되셨나요?"라고 물어 옵니다. 그럼 저는 "준비되었습니다"라고 말하곤 합니다.

★　★　★

이제 저의 요점을 말씀드리겠습니다. 버지니아 주민 여러분. 그렇게 이 일이 시작되었습니다. 그것은 한 목소리가 무엇을 할 수 있는지를 보여 줍니다. 그 한 목소리가 방을 변화시킬 수 있습니다. 만약 한 목소리가 방을 바꿀 수 있다면, 그것은 도시를 바꿀 수 있고, 그리고 한 목소리가 도시를 바꿀 수 있다면, 그것은 주를 바꿀 수 있습니다. 그리고 한 목소리가 주를 바꿀 수 있다면, 그것은 나라도 바꿀 수 있으며, 그리고 한 목소리가 나라를 바꿀 수 있다면 그것은 세상까지 바꿀 수 있습니다.

버지니아 주민 여러분, 당신의 목소리가 내일의 세상을 바꿀 수 있습니다. 만약에 스물한 시간 후에 여러분이 비를 기꺼이 맞을 수 있다면, 만약에 여러분이 아는 사람 중에 투표하지 않을 사람을 투표소로 기꺼이 끌고 나온다면 말입니다.

word tip!
steal one's thunder 남의 생각을 가로채다 shrug 으쓱하다

If you are willing to organize and volunteer in the offices, if you are willing to stand with me, if you are willing to fight with me, I know your voice will matter.

So I have just one question for you Virginia, Are you fired up? Ready to go? Fired up. Ready to go. Fired up. Ready to go. Fired up. Ready to go.

Virginia, let's go change the world. God bless you and God bless the United States of America.

만약에 여러분이 선거 사무실에서 선거 준비를 하고 자원봉사를 기꺼이 하신다면, 만약에 여러분이 기꺼이 저와 함께하신다면, 만약에 여러분이 기꺼이 저와 함께 싸워 주신다면, 저는 여러분의 목소리가 변화를 가져오리라는 것을 알고 있습니다.

★ ★ ★

그래서 저는 버지니아 주민 여러분에게 질문이 하나 있습니다. 여러분 신이 나십니까? 준비가 되셨습니까? 신을 냅시다. 준비를 합시다. 신을 냅시다. 준비를 합시다. 신을 냅시다. 준비를 합시다.

★ ★ ★

버지니아 주민 여러분, 가서 세상을 변화시킵시다. 하나님의 축복이 여러분과 미합중국에 있기를 기원합니다.

"My job is not to represent Washington to you,
but to represent you to Washington."

내 소임은 당신에게 내가 워싱턴을 대표하는 게 아닙니다.
나의 일은 워싱턴에 당신을 대표하는 것입니다.

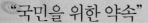

"국민을 위한 약속"

민주당은 콜로라도 주 덴버에서 3일 간의 전당 대회를
통해 미국 대통령 선거 사상 첫 흑인 대통령에 도전하는
버락 오바마 상원의원을 2008년 대통령 선거 후보로
공식 지명했다.
오바마는 이날 인베스코 풋볼 경기장에서 대의원 등 지지자
7만 6000명이 운집한 가운데 '미국인들이 확신하는 변화'라는
주제로 부시 정권 3기를 저지하고 미국의 변화를 반드시
달성하겠다는 요지의 대통령 후보지명 수락 연설을 했다.

'킹 목사 연설' 45주년이 되던 이날, 오바마는 이 수락 연설을
통해 외교, 국방, 경제, 에너지 등 모든 분야에서 공화당과 차별되는
정책으로 미국의 진로를 바꿔놓겠다고 선언했다.
" I have a dream"에 이어 "I change the America"를 내놓았다.

Mile High Stadium, Denver Colorado.August 28, 2008

Acceptance Speech at the Democratic Convention

The American
Promise

Mile High Stadium, Denver Colorado. August 28, 2008

Acceptance Speech at the Democratic Convention
The American Promise

★
★ **To** Chairman Dean and my great friend Dick Durbin; and
★ to all my fellow citizens of this great nation;
★ With profound gratitude and great **humility**, I accept your
★ nomination for the presidency of the United States.
★

Let me express my thanks to the historic **slate** of candidates who accompanied me on this journey, and especially the one who traveled the farthest - a champion for working Americans and an inspiration to my daughters and to yours -- Hillary Rodham Clinton. To President Clinton, who last night **made the case** for change as only he can make it; to Ted Kennedy, who **embodies** the spirit of service; and to the next Vice President of the United States, Joe Biden, I thank you. I am grateful to finish this journey with one of the finest statesmen of our time, a man **at ease** with everyone from world leaders to the conductors on the Amtrak train he still takes home every night.

To the love of my life, our next First Lady, Michelle Obama, and to Sasha and Malia - I love you so much, and I'm so proud of all of you.

미국 민주당 전당대회 수락 연설 미국의 약속

딘 의장님과 나의 좋은 친구 딕 더번, 그리고 이 위대한 나라의 모든 동료 시민 여러분. 깊은 감사와 크나큰 겸손으로 저는 미 대통령 후보 지명을 수락합니다.

★　★　★

저는 이 여정을 저와 함께하신 역사적 후보들께 감사를 표하며, 특히 가장 멀리 동행하신, 미국 근로자들의 수호자이자 제 딸들과 여러분 따님들의 동경의 대상인, 힐러리 로뎀 클린턴께 감사를 드립니다. 어젯밤 오직 그분만이 하실 수 있는 변화에 대해 주장하신 클린턴 전 대통령, 봉사의 정신을 구현하신 테드 케네디, 그리고 차기 미 부통령 후보인 조 바이든께 감사드립니다. 저는 세계의 지도자들로부터 그가 아직도 매일 밤 집에 가기 위해 타는 암트랙 열차 차장에 이르기까지, 모든 사람들과 편하게 지내는 우리 시대의 가장 훌륭한 정치가의 한 사람인 그와 이 여행을 끝내는 것에 대하여 감사를 드립니다.

★　★　★

제 일생의 사랑, 우리의 차기 영부인이 될지도 모를 미셸 오바마, 그리고 사샤와 말리아. 여러분을 정말 사랑하고 모두 다 너무 자랑스럽습니다.

word tip!
humility 겸손 slate 후보자 명단 make a case 주장하다 embody 실현하다 at ease 편안한

Four years ago, I stood before you and told you my story - of the brief **union** between a young man from Kenya and a young woman from Kansas who weren't **well-off** or well-known, but shared a belief that in America, their son could achieve whatever he put his mind to.

It is that promise that has always **set** this country **apart** - that through hard work and sacrifice, each of us can pursue our individual dreams but still come together as one American family, to ensure that the next generation can pursue their dreams as well.

That's why I stand here tonight. Because for two hundred and thirty two years, at each moment when that promise was in jeopardy, ordinary men and women - students and soldiers, farmers and teachers, nurses and janitors -- found the courage to keep it alive.

We meet at one of those defining moments - a moment when our nation is at war, our economy is in **turmoil**, and the American promise has been threatened once more.

4년 전, 저는 여러분 앞에 서서 저의 이야기를 들려드렸습니다. 유복하거나 유명하지는 않았지만 미국에서 그들의 아들은 마음먹은 것은 무엇이든 이룰 수 있다는 믿음을 공유했던 케냐에서 온 젊은 남자와 캔자스 출신의 젊은 여자의 짧은 만남의 이야기 말입니다.

★　★　★

그것이 항상 이 나라를 특별하게 만드는 약속이었습니다. 근면과 희생을 통하여 우리 각자는 개인의 꿈을 추구할 수 있고, 동시에 다음 세대 역시 자신들의 꿈을 추구할 수 있도록 보장해 주기 위하여 여전히 함께할 수 있는 약속 말입니다.

★　★　★

그것이 제가 오늘 밤 여기에 서 있는 이유입니다. 왜냐하면 232년 동안 그 약속이 위험에 처한 순간마다 학생과 군인, 농부와 교사, 간호사와 수위 등 보통 사람들은 그것을 살아 숨 쉬게 할 용기를 발견했기 때문입니다.

★　★　★

우리는 그 결정적 순간 중 한 지점에서 만나고 있습니다. 나라가 전쟁에 처해 있고, 경제가 혼란에 빠져 있고, 미국의 약속이 한 번 더 위협받고 있는 순간 말입니다.

---

word tip!
union 결합, 만남　well-off 부유한　set apart 따로 떼어두다, 남겨두다　turmoil 혼란

Tonight, more Americans are out of work and more are working harder for less. More of you have lost your homes and even more are watching your home values **plummet**. More of you have cars you can't afford to drive, credit card bills you can't afford to pay, and tuition that's beyond your reach.

These challenges are not all of government's making. But the failure to respond is a direct result of a broken politics in Washington and the failed policies of George W. Bush.

America, we are better than these last eight years. We are a better country than this.

This country is more decent than one where a woman in Ohio, **on the brink of** retirement, finds herself one illness away from disaster after a lifetime of hard work.

This country is more generous than one where a man in Indiana has to pack up the equipment he's worked on for twenty years and watch it shipped off to China, and then **chokes up** as he explains how he felt like a failure when he went home to tell his family the news.

We are more compassionate than a government that lets veterans sleep on our streets and families slide into poverty; that **sits on its hands** while a major American city drowns before our eyes.

오늘 밤 더 많은 미국인들이 직장을 잃었고 더 많은 사람들이 더 열심히 일하고도 덜 받고 있습니다. 여러분들 중 더 많은 분들이 집을 잃었고 훨씬 더 많은 분들이 집값의 폭락을 지켜보고 있습니다. 더 많은 여러분들이 자동차 유지비를 감당하지 못하고, 신용카드 빚을 갚지 못하고, 학교 수업료를 내지 못하고 있습니다.

★ ★ ★

이러한 도전들은 정부가 만든 것은 아닙니다. 그러나 그 대처에 실패한 것은 워싱턴의 부서진 정치와 조지 부시의 실패한 정책의 직접적인 결과입니다.

미국이여, 우리는 지난 8년보다는 잘할 수 있습니다. 우리는 이것보다는 나은 나라입니다.

★ ★ ★

이 나라는 은퇴 직전의 한 오하이오 여성이 평생 동안 열심히 일하고 난 뒤 거의 재앙에 가까울 정도로 자기 자신이 병이 든 사실을 알게 되는 것보다는 품위 있는 나라입니다.

이 나라는 한 인디애나 남성이 자신이 20년간 사용했던 장비를 포장하고 중국으로 실려가는 것을 지켜본 후 집에 가서 가족에게 그 소식을 전하며 자신이 얼마나 실패자처럼 느껴지는지를 설명할 때 목이 메는 것보다는 관대한 나라입니다.

우리는 참전 용사를 길바닥에서 자게 하고 가족들이 빈곤으로 미끄러져 내려가도록 내버려두는, 미국의 대도시가 우리 눈앞에서 물에 잠기는 동안 수수방관하는 정부보다는 온정적입니다.

---

word tip!

plummet 급락하다 on the brink of ~ 하기 직전에 choke up 말문이 막히다 sit on one's hands 수수방관하다

Tonight, I say to the American people, to Democrats and Republicans and Independents across this great land - enough! This moment - this election - is our chance to keep, in the 21st century, the American promise alive. Because next week, in Minnesota, the same party that brought you two terms of George Bush and Dick Cheney will ask this country for a third. And we are here because we love this country too much to let the next four years look like the last eight. On November 4th, we must stand up and say: "Eight is enough."

Now let there be no doubt. The Republican nominee, John McCain, has worn the uniform of our country **with** bravery and **distinction**, and for that we owe him our gratitude and respect. And next week, we'll also hear about those occasions when he's **broken with** his party as evidence that he can deliver the change that we need.

But the record's clear: John McCain has voted with George Bush ninety percent of the time. Senator McCain likes to talk about judgment, but really, what does it say about your judgment when you think George Bush has been right more than ninety percent of the time? I don't know about you, but I'm not ready to take a ten percent chance on change.

오늘 밤 저는 미국인들에게, 이 위대한 땅의 민주당과 공화당과 무소속 지지자들에게 말합니다. "충분합니다!" 이 순간, 이 선거는 21세기에 미국의 약속을 살아 있게 유지할 우리의 기회입니다. 왜냐하면 다음 주 미네소타에서, 조지 부시와 딕 체니의 두 번의 임기를 여러분께 떠맡겼던 바로 그 정당이 세 번째의 임기를 이 나라에 요구할 것이기 때문입니다. 그리고 다음 4년도 지난 8년과 똑같도록 내버려두기에는 우리는 이 나라를 너무 사랑하기에 이 자리에 있습니다. 11월 4일 우리는 반드시 일어서서 말해야 합니다. "8년은 충분합니다."

* * *

이제 의심이 없도록 합시다. 공화당 지명자인 존 매케인은 용감하고 명예롭게 이 나라의 제복을 입었으며, 그러한 이유로 우리는 그에게 감사와 존경을 보내야 합니다. 그리고 다음 주 우리는 우리가 필요한 변화를 가져올 수 있다는 증거로 그가 자신의 당과 결별한 상황에 관하여 듣게 될 것입니다.

그러나 기록은 명확합니다. 존 매케인은 90퍼센트 조지 부시에게 표를 던졌습니다. 매케인 상원의원은 판단에 관해 얘기하는 것을 좋아합니다. 하지만 과연, 여러분들 중 조지 부시가 90퍼센트 이상 옳았다고 생각하는 사람이 있다면 그 사람의 판단에 대해 뭐라고 말하시겠습니까? 여러분들의 경우는 모르겠습니다만, 저는 10퍼센트의 변화의 기회를 잡고 싶진 않습니다.

---

word tip!

with distinction 명예롭게 break with ~와 관계를 끊다

The truth is, on issue after issue that would make a difference in your lives - on health care and education and the economy - Senator McCain has been **anything but** independent. He said that our economy has made "great progress" under this President. He said that the fundamentals of the economy are strong. And when one of his chief advisors - the man who wrote his economic plan - was talking about the anxiety Americans are feeling, he said that we were just suffering from a "mental **recession**," and that we've become, and I quote, "a nation of **whiners**."

A nation of whiners? Tell that to the proud auto workers at a Michigan plant who, after they found out it was closing, kept showing up every day and working as hard as ever, because they knew there were people who counted on the brakes that they made. Tell that to the military families who **shoulder** their burdens silently as they watch their loved ones leave for their third or fourth or fifth tour of duty. These are not whiners. They work hard and give back and keep going without complaint. These are the Americans that I know.

사실은 여러분들의 삶을 변화시킬 여러 문제들, 즉 의료보험과 교육과 경제에 관하여, 매케인 상원의원은 결코 독자적이 아니었습니다. 그는 우리 경제가 이 대통령 집권하에 큰 진보를 이루었다고 말했습니다. 그는 경제의 기초는 튼튼하다고 말했습니다. 그리고 그의 경제 계획을 마련한 그의 수석 참모 중 한 사람이 미국민들이 느끼는 걱정에 관해 얘기할 때, 그가 말하길 우리는 단지 정신적 침체를 겪고 있을 뿐이고, 그의 말을 인용하자면 우리는 "불평꾼들의 나라"가 되었다고 했습니다.

★　★　★

　불평꾼들의 나라요? 공장이 폐쇄된다는 것을 알고서도 그들이 만드는 브레이크를 신뢰하는 사람들이 있다는 것을 알기에 매일 출근해서 예전처럼 열심히 일하는 미시간 공장에서 일하는 자랑스러운 자동차 노동자들에게 그런 말을 해 보십시오. 세 번째, 네 번째 혹은 다섯 번째 임무를 안고 파병을 떠나는 사랑하는 사람들을 바라보며 묵묵히 그들의 부담을 짊어지는 군인 가족들에게 그 말을 해 보십시오. 그들은 열심히 일하고 되돌려주고 불평없이 나아갑니다. 이분들이 제가 아는 미국인들입니다.

word tip!

anything but ~은 결코 아닌　recession 침체　whiner 징징거리는 사람　shoulder 짊어지다

Now, I don't believe that Senator McCain doesn't care what's going on in the lives of Americans. I just think he doesn't know. Why else would he define middle-class as someone making under five million dollars a year? How else could he propose hundreds of billions in tax breaks for big corporations and oil companies but not one penny of tax relief to more than one hundred million Americans? How else could he offer a health care plan that would actually tax people's benefits, or an education plan that would do nothing to help families pay for college, or a plan that would privatize Social Security and gamble your retirement?

It's not because John McCain doesn't care. It's because John McCain doesn't get it.

For over two decades, he's **subscribed** to that old, **discredited** Republican philosophy - give more and more to those with the most and hope that prosperity **trickles down** to everyone else. In Washington, they call this the Ownership Society, but what it really means is - you're on your own. Out of work? Tough luck. No health care? The market will fix it. Born into poverty? **Pull yourself up by your own bootstraps** - even if you don't have boots. You're on your own.

자, 저는 매케인 상원의원이 미국인들의 삶에서 벌어지고 있는 것들에 관해 신경 쓰지 않는다고 믿지 않습니다. 저는 단지 그가 모른다고 생각합니다. 그렇지 않으면 왜 그는 중산층을 연간 500만 달러 이하로 버는 사람이라고 정의하겠습니까? 그렇지 않으면 어떻게 그는 대기업과 석유 회사들을 위해서는 수천억 달러의 감세를 제안하면서도 1억 명 이상의 미국인들에게는 한 푼의 세금 경감도 제안하지 않는 겁니까? 그렇지 않으면 어떻게 그는 사실상 국민들의 혜택에 과세할 의료보험 정책을 제안하며, 가족들의 대학 등록금 지불에는 전혀 도움이 되지 않을 교육 정책을 제안하고, 사회 보장 제도를 민영화하여 은퇴 계획으로 도박을 하게 만드는 정책을 제안할 수 있는 겁니까?

그것은 존 매케인이 신경을 안 쓰기 때문이 아닙니다. 그것은 존 매케인이 모르기 때문입니다.

★ ★ ★

20년이 넘게 그는 오래되고 불신받는 공화당 철학을 지지해 왔습니다. 가장 많이 가진 자들에게 더욱더 주고 번영이 기타 모든이들에게 떨어져 내리게 한다는 철학 말입니다. 워싱턴에서는 이것을 '소유권 사회'라고 부릅니다만, 실제로 그것이 의미하는 것은 "알아서 하라"는 것입니다. 실직했다고요? 운이 없으시군요. 의료보험이 없으시다고요? 시장이 해결할 겁니다. 가난하게 태어났다고요? 자수성가하십시오. 딛고 일어설 신발이 없어도 말이죠. 알아서 하십시오.

📎**word tip!**

subscribe 동의하다 discredited 불신받은 trickle down 떨어지다 pull oneself up by one's own bootstraps 자수성가하다

Well it's time for them to own their failure. It's time for us to change America.

You see, we Democrats have a very different measure of what **constitutes** progress in this country.

We measure progress by how many people can find a job that pays the mortgage; whether you can put a little extra money away at the end of each month so you can someday watch your child receive her college diploma. We measure progress in the 23 million new jobs that were created when Bill Clinton was President - when the average American family saw its income go up $7,500 instead of down $2,000 like it has under George Bush.

We measure the strength of our economy not by the number of billionaires we have or the profits of the Fortune 500, but by whether someone with a good idea can take a risk and start a new business, or whether the waitress who lives on tips can take a day off to look after a sick kid without losing her job - an economy that honors the dignity of work.

The fundamentals we use to measure economic strength are whether we are **living up to** that fundamental promise that has made this country great - a promise that is the only reason I am standing here tonight.

이제 그들은 자신들의 실패를 가져갈 때입니다. 우리는 미국을 변화시킬 때입니다.

아시다시피, 우리 민주당이 이 나라에서 무엇이 진보를 의미하는지에 관해 매우 다른 기준을 가지고 있습니다.

★　★　★

우리는 얼마나 많은 사람들이 담보 대출을 갚을 직업을 찾을 수 있는지로 진보를 판단합니다. 언젠가는 여러분의 자녀가 대학 졸업장을 받는 것을 볼 수 있도록 매월 말 약간의 여분의 돈을 저축할 수 있는지로 판단합니다. 우리는 빌 클린턴이 대통령이었을 때 만들어졌던 230만 개의 새로운 일자리로 진보를 판단합니다. 미국 평균 가정의 소득이 조지 부시 정부하에서와 같이 2000달러가 줄어든 대신 7500달러가 늘어나는 것을 보던 때 말입니다.

우리는 억만장자의 수나 포춘지 선정 500대 기업의 순익이 아닌, 좋은 아이디어를 가진 사람이 위험을 감수하고 새로운 사업을 시작할 수 있는지로, 또는 팁으로 먹고사는 여종업원이 직장을 잃지 않고 아픈 자녀를 돌보게 하루를 쉴 수 있는지로, 즉 일의 존엄성을 존중하는 경제로 우리의 경제력을 판단합니다.

경제력을 판단하기 위해 우리가 사용하는 기초는 우리가 이 나라를 위대하게 만든 그 근본적인 약속에 따라 살고 있는지의 여부이며, 그 약속은 제가 오늘 밤 이 자리에 서 있는 유일한 이유입니다.

📝 **word tip!**

constitute 의미하다　live up to ～에 따라 살다

Because **in the faces of** those young veterans who come back from Iraq and Afghanistan, I see my grandfather, who signed up after Pearl Harbor, marched in Patton's Army, and was rewarded by a grateful nation with the chance to go to college on the GI Bill.

In the face of that young student who sleeps just three hours before working the night **shift**, I think about my mom, who raised my sister and me on her own while she worked and earned her degree; who once turned to **food stamps** but was still able to send us to the best schools in the country with the help of student loans and scholarships.

When I listen to another worker tell me that his factory has shut down, I remember all those men and women on the South Side of Chicago who I stood by and fought for two decades ago after the local steel plant closed.

And when I hear a woman talk about the difficulties of starting her own business, I think about my grandmother, who worked her way up from the **secretarial pool** to middle-management, despite years of being passed over for promotions because she was a woman. She's the one who taught me about hard work. She's the one who put off buying a new car or a new dress for herself so that I could have a better life. She poured everything she had into me. And although she can no longer travel, I know that she's watching tonight, and that tonight is her night as well.

왜냐하면 이라크와 아프가니스탄에서 돌아오는 젊은 참전 용사를 맞아, 저는 진주만 공습 후 입대하여 패튼 부대에서 복무했고, 제대군인보호법에 의거하여 대학에 갈 기회를 가짐으로써 고마움을 아는 나라로부터 보상받았던 저희 할아버지의 모습을 보기 때문입니다.

밤교대 근무 전에 겨우 세 시간을 자는 젊은 학생을 맞아, 일하고 학위를 받는 동안에도 저와 제 여동생을 혼자 힘으로 키우신 어머니의 모습을 봅니다. 한때 식량 배급에 의존했으나 여전히 학자금 대출과 장학금 제도의 도움을 받아 저희를 이 나라 최고의 학교에 보내신 그 어머니 말입니다.

★ ★ ★

공장이 폐쇄된 얘기를 해 주는 또다른 근로자의 말을 들을 때, 제게는 20년 전 지방 철강 공장이 문을 닫았을 때 제가 지원 해주고 싸워 주었던, 시카고 사우스 사이드의 모든 사람들이 떠오릅니다.

그리고 사업을 시작하는 애로사항에 대해 얘기하는 한 여성분의 말을 들을 때, 저는 여성이기 때문에 승진하는 데에 오랜 시간이 걸려야 했음에도 비서직에서 중간 관리직으로 올라가신 저희 할머니가 생각납니다. 그분이 바로 제게 근면에 대해 가르쳐 주신 분입니다. 그분이 바로 제가 더 좋은 삶을 누릴 수 있도록 자신을 위해 새 차나 새 옷을 사는 것을 뒤로 미루신 분입니다. 그분은 자신이 가진 모든 것을 제게 쏟아부으셨습니다. 그리고 그분은 비록 더 이상 인생의 여행을 하실 수는 없지만, 저는 그분이 오늘 밤 지켜보시며, 또한 오늘 밤은 그분의 밤이기도 하다는 것을 알고 있습니다.

word tip!

in the face of ~을 맞아 shift 교대 food stamp 식량 배급표 secretarial pool 비서직

I don't know what kind of lives John McCain thinks that **celebrities** lead, but this has been mine. These are my heroes. Theirs are the stories that shaped me. And it is on their behalf that I intend to win this election and keep our promise alive as President of the United States.

What is that promise?

It's a promise that says each of us has the freedom to make of our own lives what we will, but that we also have the obligation to treat each other with dignity and respect.

It's a promise that says the market should reward **drive** and innovation and generate growth, but that businesses should live up to their responsibilities to create American jobs, **look out for** American workers, and play by the rules of the road.

Ours is a promise that says government cannot solve all our problems, but what it should do is that which we cannot do for ourselves - protect us from harm and provide every child a decent education; keep our water clean and our toys safe; invest in new schools and new roads and new science and technology.

Our government should work for us, not against us. It should help us, not hurt us. It should ensure opportunity not just for those with the most money and influence, but for every American who's willing to work.

저는 존 매케인이 생각하는, 명사들이 이끄는 삶이 어떤 부류인지 모르지만, 이것이 제 생각입니다. 이분들은 저의 영웅들이셨습니다. 그분들의 삶의 이야기들은 저를 형성해 주었습니다. 그리고 이 선거에서 이기고 미국 대통령으로서 우리의 약속을 살아 있게 유지하려는 저의 의도는 그분들을 위한 것입니다.

★　★　★

그 약속은 무엇입니까?

그것은 우리가 원하는 삶을 살아갈 수 있는 자유가 우리 각자에게 있다라고 말하는 약속이지만, 우리에겐 또한 서로를 존엄과 존경으로 대해야 하는 의무가 있습니다.

★　★　★

그것은 시장은 동기와 혁신에 보상하고 성장을 이루어야 하지만 기업들은 미국인들의 일자리 창출이라는 책임을 다해야 하고 미국 근로자들을 돌봐야 하며 법규에 따라야 한다고 말하는 약속입니다.

우리의 약속은 정부는 우리의 모든 문제를 해결할 수는 없지만, 우리가 혼자의 힘으로는 할 수 없는 것들, 즉 우리를 위험으로부터 보호하고 모든 어린이에게 남부럽지 않은 교육을 제공하는 것, 우리가 마실 물을 깨끗이 하고 아이들의 장난감을 안전하게 관리하는 것, 새 학교와 새 도로와 새로운 과학 기술에 투자하는 것 등을 해야 한다고 말하는 약속입니다.

우리의 정부는 우리를 위해서 일해야 하지, 우리에 반하여서는 안 됩니다. 정부는 우리를 보호해야지 해하여서는 안 됩니다. 정부는 가장 많은 돈과 영향력을 가진 자들만을 위해서가 아니라 일할 의욕이 있는 모든 미국인들을 위하여 기회를 보장해야 합니다.

word tip!

celebrity 명사 drive 동기 look out for ~을 돌보다

That's the promise of America - the idea that we are responsible for ourselves, but that we also rise or fall as one nation; the fundamental belief that I am my brother's keeper; I am my sister's keeper.

That's the promise we need to keep. That's the change we need right now. So let me **spell out** exactly what that change would mean if I am President.

Change means a tax **code** that doesn't reward the lobbyists who wrote it, but the American workers and small businesses who deserve it.

Unlike John McCain, I will stop giving tax breaks to corporations that ship jobs overseas, and I will start giving them to companies that create good jobs right here in America.

I will **eliminate capital gains taxes** for the small businesses and the **start-ups** that will create the high-wage, high-tech jobs of tomorrow.

I will cut taxes - cut taxes - for 95% of all working families. Because in an economy like this, the last thing we should do is raise taxes on the middle-class.

And for the sake of our economy, our security, and the future of our planet, I will set a clear goal as President: in ten years, we will finally end our dependence on oil from the Middle East.

그것이 미국의 약속입니다. 우리는 우리 자신에게 책임이 있지만, 우리는 또한 한 국가로서 흥망성쇠를 같이한다는 생각, 나는 나의 형제를 지키고, 나는 나의 자매를 지킨다는 근본적인 믿음인 것입니다.

그것이 우리가 유지해야 할 약속입니다. 그것이 우리가 지금 필요로 하는 변화입니다. 따라서 제가 대통령이라면 그 변화가 정확하게 무엇을 의미하는지 명확하게 설명해 드리겠습니다.

★　★　★

변화는 세금 체계가 그것을 입안하는 로비스트들이 아닌, 혜택을 받아야 할 미국 근로자들과 중소기업에게 보상을 해 주는 것을 의미합니다.

존 매케인과는 달리, 저는 감세 혜택을 해외로 일자리를 빼돌리는 기업에게 주는 것을 중단하겠으며, 바로 여기 미국에서 좋은 일자리를 창출하는 기업에게 주도록 추진하겠습니다.

저는 내일을 위한 고임금, 첨단 기술 일자리를 창출하는 중소기업과 창업 기업들을 위하여 자본이득세를 없애겠습니다.

저는 감세, 즉 모든 근로 가정의 95퍼센트를 위한 감세 정책을 펴겠습니다. 왜냐하면 이러한 경제하에서는 우리가 마지막까지 하지 않아야 할 것이 중산층에 대한 세금 인상이기 때문입니다.

그리고 우리의 경제와, 우리의 안보와, 그리고 지구의 미래를 위하여, 저는 대통령으로서 명확한 목표를 세우겠습니다. 10년 안에 우리는 결국 중동 석유에 대한 의존을 끝낼 것입니다.

word tip!

spell out 명쾌하게 설명하다　code 체계　eliminate 없애다　capital gains tax 자본이득세　start-up 창업

Washington's been talking about our oil **addiction** for the last thirty years, and John McCain has been there for twenty-six of them. In that time, he's said no to higher fuel-efficiency standards for cars, no to investments in **renewable** energy, no to renewable fuels. And today, we import triple the amount of oil as the day that Senator McCain took office.

Now is the time to end this addiction, and to understand that drilling is a **stop-gap** measure, not a long-term solution. Not even close.

As President, I will **tap** our natural gas reserves, invest in clean coal technology, and find ways to safely harness nuclear power. I 'll help our auto companies **re-tool**, so that the fuel-efficient cars of the future are built right here in America. I'll make it easier for the American people to afford these new cars. And I'll invest 150 billion dollars over the next decade in affordable, renewable sources of energy - wind power and solar power and the next generation of **biofuels**; an investment that will lead to new industries and five million new jobs that pay well and can't ever be outsourced.

워싱턴에서는 지난 30년간 우리의 석유 중독에 관하여 얘기가 있었고, 존 매케인은 그 중 26년 동안 거기에 있었습니다. 그동안 그는 자동차 연료 효율을 높이는 데에 반대했고, 재생 가능 에너지에 대한 투자에 반대했고, 재생 가능 연료에 반대했습니다. 그리고 오늘날, 우리는 매케인 상원의원이 취임한 날보다 세 배나 많은 석유를 수입하고 있습니다.

★　★　★

지금이 이러한 중독을 끝낼 때이며, 석유 시추는 임시변통 방법이지 장기적 해결책은 아니라는 것을 이해해야 할 때입니다. 어림도 없습니다.

★　★　★

대통령으로서 저는 우리의 천연가스 매장량을 활용해 보겠으며, 청정 석탄 기술에 투자할 것이며, 원자력을 안전하게 이용할 방법을 찾도록 하겠습니다. 저는 미래의 고연비 자동차들이 바로 이곳 미국에서 생산되도록 우리 자동차 회사들의 재정비를 도울 것입니다. 저는 미국 국민들이 이 새로운 차들을 손쉽게 타고 다닐 수 있게 하겠습니다. 그리고 저는 향후 10년간 손쉽고 재생 가능한 에너지 산업, 즉 풍력, 태양력 및 차세대 바이오 연료에 1500억 달러를 투자하겠으며, 이 투자는 아웃소싱이 불가능한 신산업과 500만 개의 새 일자리를 만들어낼 것입니다.

word tip!

addiction 중독　renewable 재생 가능한　stop-gap 임시방편　tap 가능성을 타진하다　re-tool 재정비하다
biofuel 바이오 연료

America, now is not the time for small plans.

Now is the time to finally meet our moral obligation to provide every child a world-class education, because it will take nothing less to compete in the global economy. Michelle and I are only here tonight because we were given a chance at an education. And I will not **settle for** an America where some kids don't have that chance. I'll invest in early childhood education. I'll recruit an army of new teachers, and pay them higher salaries and give them more support. And in exchange, I'll ask for higher standards and more accountability. And we will keep our promise to every young American - if you **commit** to serving your community or your country, we will make sure you can afford a college education.

Now is the time to finally keep the promise of affordable, accessible health care for every single American. If you have health care, my plan will lower your **premiums**. If you don't, you'll be able to get the same kind of coverage that members of Congress give themselves. And as someone who watched my mother argue with insurance companies while she lay in bed dying of cancer, I will make certain those companies stop **discriminating** against those who are sick and need care the most.

Now is the time to help families with **paid sick days** and better family **leave**, because nobody in America should have to choose between keeping their jobs and caring for a sick child or ailing parent.

미국이여, 지금은 작은 계획을 세울 때가 아닙니다.

지금은 모든 어린이들에게 세계적 수준의 교육을 제공할 우리의 도덕적 의무를 최종적으로 다해야 할 때입니다. 왜냐하면 그것은 세계 경제에서 경쟁을 피할 수 없기 때문입니다. 미셸과 저는 오로지 교육 기회가 주어졌기 때문에 이 자리에 올 수 있었습니다. 그리고 저는 미국에서 어떤 아이들이 그런 기회를 갖지 못한다면 만족할 수 없습니다. 저는 조기 교육에 투자할 것입니다. 저는 새로운 교사들을 대규모로 모집하겠으며 더 높은 급여를 제공하고 더 많은 지원을 해 줄 것입니다. 그리고 그 대신에 저는 더 높은 기준과 더 많은 책임을 요구할 것입니다. 그리고 우리는 모든 미국 젊은이들에게 약속을 지킬 것입니다. 만일 여러분이 여러분의 공동체나 국가에 대한 봉사에 헌신한다면, 우리는 여러분들이 대학 교육을 받을 수 있도록 보장할 것입니다.

지금은 모든 미국인들을 위한 저렴하고 접근성 있는 의료보험의 약속을 최종적으로 지켜야 할 때입니다. 여러분이 의료보험을 갖고 계시다면, 저의 계획은 여러분의 보험료를 낮춰 드릴 것입니다. 만일 갖고 계시지 않다면, 국회의원들과 똑같은 혜택을 받으실 수 있을 것입니다. 그리고 저희 어머니가 침대에 누워 암으로 죽어가시면서도 보험회사와 논쟁하는 것을 지켜봤던 사람으로서, 저는 병들고 가장 배려가 필요한 사람들을 보험회사가 차별하는 것을 확실하게 중단시키겠습니다.

지금은 유급 병가와 더 나은 가족 휴가로 가정을 도와야 할 때입니다. 왜냐하면 미국에서 누구도 직장 유지와, 아픈 자녀나 병든 부모 간호 중 선택해야 하는 일이 있어서는 안 되기 때문입니다.

---

word tip!

settle for 적당히 만족하다 commit 헌신하다 premium 보험료 discriminate 차별하다 paid sick day 유급 병가 leave 휴가

Now is the time to change our **bankruptcy** laws, so that your **pensions** are protected ahead of CEO bonuses; and the time to protect **Social Security** for future generations.

And now is the time to keep the promise of equal pay for an equal day's work, because I want my daughters to have exactly the same opportunities as your sons.

Now, many of these plans will cost money, which is why I've **laid out** how I'll pay for every dime - by closing corporate **loopholes** and **tax havens** that don't help America grow. But I will also go through the federal budget, line by line, eliminating programs that no longer work and making the ones we do need work better and cost less - because we cannot meet twenty-first century challenges with a twentieth century bureaucracy.

And Democrats, we must also admit that fulfilling America's promise will require more than just money. It will require a renewed sense of responsibility from each of us to recover what John F. Kennedy called our "intellectual and moral strength." Yes, government must lead on energy independence, but each of us must do our part to make our homes and businesses more efficient. Yes, we must provide more ladders to success for young men who fall into lives of crime and despair.

지금은 여러분의 연금을 최고 경영자의 보너스보다 먼저 보호하기 위하여 우리의 파산법을 바꿔야 할 때입니다. 그리고 미래 세대를 위하여 사회 보장 제도를 보호해야 할 때입니다.

　그리고 지금은 같은 노동에 대하여 같은 임금을 받는 약속을 지켜야 할 때입니다. 왜냐하면 저는 저희 딸들이 여러분의 아들들과 똑같은 기회를 갖길 원하기 때문입니다.

　자, 이러한 계획들의 다수는 돈이 들게 될 것이고, 그것이 왜 제가 마지막 한 푼까지 어떻게 쓸지에 관해 설계하게 된 이유입니다. 미국의 성장에 도움이 되지 않는 기업의 허점과 조세 회피처를 봉쇄함으로써 말입니다. 그러나 저는 또한 연방 예산을 종류별로 샅샅이 조사하여 더 이상 통하지 않는 프로그램을 없애고 우리에게 진정으로 필요한, 더 잘 작동하고 비용이 적게 드는 프로그램을 만들어낼 것입니다. 왜냐하면 20세기의 관료주의로써는 21세기의 도전들에 맞설 수 없기 때문입니다.

★　★　★

　그리고　민주당원 여러분, 우리는 또한 미국의 약속을 완수하는 것은 단지 돈 이상의 것이 필요하다는 것을 인정해야 합니다. 그것은 존 F 케네디가 우리의 "지적이고 도덕적 힘"이라고 부른 것을 회복하기 위하여 쇄신된 책임감을 우리 각자로부터 요구할 것입니다. 그렇습니다. 정부는 에너지 독립을 선도해야 합니다. 하지만 우리 각자는 우리의 집과 사업장을 더 효율적으로 만들기 위해 우리의 본분을 다해야 합니다. 그렇습니다. 우리는 범죄와 절망의 삶에 빠진 젊은이들의 성공을 위하여 더 많은 사다리를 제공해야만 합니다.

word tip!

bankruptcy 파산　pension 연금　social security 사회보장　lay out 설계하다　loophole 허점　tax haven 조세 피난처

But we must also admit that programs alone can't replace parents; that government can't turn off the television and make a child do her homework; that fathers must take more responsibility for providing the love and guidance their children need.

Individual responsibility and mutual responsibility - that's the essence of America's promise.

And just as we keep our promise to the next generation here at home, so must we keep America's promise abroad. If John McCain wants to have a debate about who has the **temperament**, and judgment, to serve as the next **Commander-in-Chief**, that's a debate I'm ready to have.

For while Senator McCain was turning his sights to Iraq just days after 9/11, I stood up and opposed this war, knowing that it would **distract** us from the real threats we face. When John McCain said we could just "**muddle through**" in Afghanistan, I argued for more resources and more troops to finish the fight against the terrorists who actually attacked us on 9/11, and made clear that we must take out Osama bin Laden and his **lieutenants** if we have them in our sights. John McCain likes to say that he'll follow bin Laden to the Gates of Hell - but he won't even go to the cave where he lives.

그러나 우리는 프로그램만으로는 부모를 대체할 수 없다는 점 또한 인정해야 합니다. 정부가 텔레비전을 끄고 아이들이 숙제를 하게 만들 수는 없습니다. 아이들이 필요한 사랑과 지도를 제공할 의무를 아버지들이 더 많이 져야만 합니다.

★　★　★

개인 책임과 상호 책임, 그것이 미국의 약속의 정수입니다.

그리고 우리가 여기 미국에서 다음 세대에 대한 우리의 약속을 지키는 것과 같이, 해외에서도 우리는 미국의 약속을 지켜야 합니다. 만일 존 매케인이 차기 최고 군사령관으로서의 자질과 판단력을 가진 인물에 대해 토론을 갖길 원한다면, 저는 준비가 되어 있습니다.

★　★　★

왜냐하면 매케인 상원의원이 9·11 테러 후 불과 며칠이 지나서 이라크로 눈길을 돌린 동안에, 저는 그것이 우리가 직면한 진짜 위협으로부터 우리의 주의를 분산시킬 것을 알기에 이 전쟁에 일어서서 반대했기 때문입니다. 존 매케인이 우리가 아프가니스탄에서 대충 해낼 수 있다고 말할 때, 저는 9/11 때 실제로 우리를 공격한 테러리스트와의 싸움을 끝내기 위해 더 많은 자원과 더 많은 병력을 보내자고 주장했으며, 우리는 오사마 빈 라덴과 그 부하들을 눈에 뜨이는 대로 제거해야 한다는 점을 분명히 했습니다. 존 매케인은 빈 라덴을 지옥문까지 쫓아가겠다고 말하길 좋아합니다만, 그가 사는 동굴까지도 가지 않을 것입니다.

word tip!

temperament 기질　Commander-in-Chief 최고사령관　distract ~의 주의를 돌리다　muddle through 그럭저럭 해내다　lieutenant 부관

And today, as my call for a time frame to remove our troops from Iraq has been **echoed** by the Iraqi government and even the Bush Administration, even after we learned that Iraq has a $79 billion surplus while we're **wallowing** in deficits, John McCain stands alone in his stubborn refusal to end a **misguided** war.

That's not the judgment we need. That won't keep America safe. We need a President who can face the threats of the future, not keep grasping at the ideas of the past.

You don't defeat a terrorist network that operates in eighty countries by occupying Iraq. You don't protect Israel and **deter** Iran just by talking tough in Washington. You can't truly **stand up for** Georgia when you've **strained** our oldest alliances. If John McCain wants to follow George Bush with more tough talk and bad strategy, that is his choice - but it is not the change we need.

We are the party of Roosevelt. We are the party of Kennedy. So don't tell me that Democrats won't defend this country. Don't tell me that Democrats won't keep us safe. The Bush-McCain foreign policy has **squandered** the legacy that generations of Americans -- Democrats and Republicans - have built, and we are here to restore that legacy.

그리고 오늘, 우리의 병력을 이라크로부터 철수시킬 시간표를 만들자는 저의 요청이 이라크 정부와 심지어 부시 정부에 의해서도 반영되고 있을 때, 심지어 우리가 빚에 쪼들릴 동안 이라크는 790억 달러의 흑자를 보고 있다는 것을 알게 된 후에도, 존 매케인은 홀로 서서 잘못 인도된 전쟁의 종식을 고집스럽게 거부하고 있습니다.

그것은 우리에게 필요한 판단력이 아닙니다. 그것은 미국을 안전하게 하지 않을 것입니다. 우리에게는 미래의 위협에 맞서는 대통령이 필요하지 과거의 사고를 계속 붙들고 있는 대통령이 필요한 게 아닙니다.

★ ★ ★

이라크를 점령한다고 해서 80개국에서 활동하는 테러리스트 네트워크를 격퇴할 수는 없습니다. 단지 워싱턴에서 거칠게 말한다고 해서 이스라엘을 보호하고 이란을 제지할 수는 없습니다. 우리의 가장 오랜 동맹들을 해친다면 진정으로 그루지야를 보호해 줄 수 없습니다. 만일 존 매케인이 더 많은 거친 말과 나쁜 전략으로 조지 부시를 따르길 원한다면, 그것은 그의 선택입니다. 그러나 그것은 우리가 필요로 하는 변화는 아닙니다.

★ ★ ★

우리는 루스벨트의 당입니다. 우리는 케네디의 당입니다. 따라서 제게 민주당이 이 나라를 지키지 않을 것이라고 말하지 마십시오. 제게 민주당이 우리를 안전하게 지키지 않을 것이라고 말하지 마십시오. 부시와 매케인의 외교 정책은 몇 세대에 걸쳐, 민주당과 공화당이 쌓아올린 유산을 탕진해 버렸으며, 우리는 그 유산을 되찾기 위해 이 자리에 있습니다.

word tip!

echo 반영하다   wallow 몸부림치다   misguide 잘못 이끌다   deter 제지하다   stand up for 옹호하다
strain 해치다   squander 탕진하다

As Commander-in-Chief, I will never hesitate to defend this nation, but I will only send our troops into harm's way with a clear mission and a sacred **commitment** to give them the equipment they need in battle and the care and benefits they deserve when they come home.

I will end this war in Iraq responsibly, and finish the fight against al Qaeda and the Taliban in Afghanistan. I will rebuild our military to meet future conflicts. But I will also renew the tough, direct diplomacy that can prevent Iran from obtaining nuclear weapons and **curb** Russian **aggression**. I will build new partnerships to defeat the threats of the 21st century: terrorism and nuclear proliferation; poverty and **genocide**; climate change and disease. And I will restore our moral standing, so that America is once again that last, best hope for all who are called to the cause of freedom, who long for lives of peace, and who **yearn for** a better future.

These are the policies I will pursue. And in the weeks ahead, I look forward to debating them with John McCain.

But what I will not do is suggest that the Senator takes his positions for political purposes. Because one of the things that we have to change in our politics is the idea that people cannot disagree without challenging each other's character and patriotism.

군 최고사령관으로서 저는 이 나라를 지키는 데에 주저하지 않을 것입니다. 그러나 저는 병사들에게 전투에서 필요한 장비와 그들이 집에 올 때 받아야 할 보살핌과 혜택을 주기 위하여 분명한 임무와 신성한 약속을 한 후 그들을 위험의 길로 내보낼 것입니다.

저는 이 이라크 전쟁을 책임있게 끝내고 아프가니스탄에서의 알 카에다와 탈레반과의 싸움을 마무리 짓겠습니다. 저는 미래의 분쟁에 대처하도록 우리의 군을 재건할 것입니다. 그러나 저는 또한 이란이 핵무기를 보유하지 못하도록 하고 러시아의 도발을 저지할 수 있는 강경하고 직접적인 외교를 새로이 하겠습니다. 저는 테러리즘과 핵확산, 빈곤과 대학살, 기후 변화와 질병과 같은 21세기의 위험을 이겨낼 새로운 파트너십을 만들어내겠습니다. 그리고 저는 우리의 도덕적 위치를 회복하여, 자유라는 대의의 부름을 받고, 평화의 삶을 동경하며, 더 나은 미래를 열망하는 모두를 위해서 미국이 다시 한 번 최후의, 최고의 희망이 되게 하겠습니다.

이것이 제가 추구하는 정책들입니다. 그리고 몇 주 후에 저는 존 매케인과 그것들에 관해 토론하길 희망합니다.

★　★　★

그러나 제가 하지 않을 일은 그 상원의원이 정치적 목적으로 그러한 입장을 취한다고 암시하는 것입니다. 왜냐하면 우리 정치에서 우리가 변화시켜야 하는 것들 중 하나가 서로의 인격과 애국심에 도전하지 않고서는 의견을 달리할 수 없다는 생각이기 때문입니다.

word tip!
commitment 의무 curb 제지하다 aggression 도발 genocide 대학살 yearn for 동경하다

The times are too serious, the **stakes** are too high for this same **partisan** playbook. So let us agree that patriotism has no party. I love this country, and so do you, and so does John McCain. The men and women who serve in our battlefields may be Democrats and Republicans and Independents, but they have fought together and bled together and some died together under the same proud flag. They have not served a Red America or a Blue America - they have served the United States of America.

So I've got news for you, John McCain. We all put our country first.

America, our work will not be easy. The challenges we face require tough choices, and Democrats as well as Republicans will need to **cast off** the **worn-out** ideas and politics of the past. For part of what has been lost these past eight years can't just be measured by lost wages or bigger trade deficits. What has also been lost is our sense of common purpose - our sense of higher purpose. And that's what we have to restore.

We may not agree on **abortion**, but surely we can agree on reducing the number of unwanted pregnancies in this country.

이러한 똑같은 당파적 게임을 하기에는 이 시기가 너무 심각하고 위험은 너무 높습니다. 따라서 애국심에는 당파가 없다고 동의합시다. 저는 이 나라를 사랑하고, 여러분도 그러하며, 존 매케인도 그렇습니다. 전장에서 복무하는 사람들은 민주당원일 수도 공화당원일 수도 무소속일 수도 있지만, 같은 자랑스러운 국기 아래 함께 싸우고 함께 피흘리고 일부는 함께 죽었습니다. 그들은 붉은 미국도 푸른 미국도 아닌 미합중국을 위해 봉사했습니다.

그러므로 존 매케인, 당신께 알려 드릴 소식이 있습니다. 우리는 모두 우리나라를 우선시합니다.

★　★　★

미국이여, 우리의 일은 쉽지는 않을 것입니다. 우리가 직면한 도전들은 어려운 선택을 요구하며, 공화당은 물론이고 민주당도 낡은 생각과 과거의 정치를 버릴 필요가 있을 것입니다. 왜냐하면 지난 8년간 잃은 것 중 일부는 단지 없어진 임금이나 더 커져 버린 무역 적자로는 측정할 수 없기 때문입니다. 역시 잃어버린 것은 우리의 공동 목표감, 즉 더 높은 목표에 대한 의식입니다. 그리고 그것이 우리가 되찾아야 할 것입니다.

★　★　★

우리는 낙태에 관해 의견을 달리할 수 있지만, 분명히 우리는 이 나라에서 원치 않는 임신의 수를 줄이는 데에 동의할 수 있습니다.

word tip!
stake 위험 partisan 당파적인 cast off 버리다 worn-out 닳아빠진 abortion 낙태

The reality of gun ownership may be different for hunters in rural Ohio than for those **plagued** by gang-violence in Cleveland, but don't tell me we can't **uphold** the Second Amendment while keeping AK-47s out of the hands of criminals.

I know there are differences on same-sex marriage, but surely we can agree that our gay and lesbian brothers and sisters deserve to visit the person they love in the hospital and to live lives free of discrimination. **Passions** fly on immigration, but I don't know anyone who benefits when a mother is separated from her infant child or an employer **undercuts** American wages by hiring illegal workers. This too is part of America's promise - the promise of a democracy where we can find the strength and grace to bridge divides and unite in common effort.

I know there are those who dismiss such beliefs as happy talk. They claim that our insistence on something larger, something firmer and more honest in our public life is just a Trojan Horse for higher taxes and the abandonment of traditional values. And that's to be expected. Because if you don't have any fresh ideas, then you use **stale** tactics to scare the voters. If you don't have a record to run on, then you paint your opponent as someone people should run from.

총기 소유의 현실은 오하이오 시골의 사냥꾼들과 클리블랜드에서 갱단의 폭력에 시달리는 사람들에게는 다를 수 있습니다. 그러나 제게 범죄자들의 손에서 AK-47 소총을 빼앗는 것과 동시에 2차 수정헌법을 지지할 수 없다고 말하지는 마십시오.

★　★　★

　동성 결혼에 관해 견해 차가 있다는 것을 압니다. 하지만 분명히 우리는 남녀 동성애자들이 차별 없이 사랑하는 사람들의 병문안을 하고 삶을 살아갈 자격이 있다는 데에 동의할 수 있습니다. 이민에 관해 홍분이 넘치지만, 한 어머니가 자신을 어린 자녀와 떼어놓거나 고용주가 불법 노동자를 고용해 미국인의 임금을 깎을 때에, 혜택을 보는 사람을 저는 알지 못합니다. 이것도 역시 미국의 약속입니다. 분열된 곳에 다리를 놓고 공동 노력으로 뭉치기 위해 힘과 품위를 찾을 수 있다는 민주주의의 약속 말입니다.

　저는 그러한 믿음을 행복한 대화라고 무시하는 사람들이 있다는 것을 압니다. 그들은 우리의 공공의 삶에서 더 크고, 더 확고하며, 더 정직한 무언가를 고집하는 것은 단지 더 높은 세금과 전통적 가치의 포기를 위한 트로이의 목마일 뿐이라고 주장합니다. 그리고 그것은 예상대로입니다. 왜냐하면 여러분에게 아무런 새로운 생각도 없으면, 그땐 여러분은 투표자들에게 겁을 줄 낡은 전술을 사용하기 때문입니다. 만일 여러분에게 의지할 경력이 없다면, 여러분은 여러분의 반대자를 사람들이 피해야 할 사람으로 덧칠해 버리는 것입니다.

word tip!

plague 시달리게 하다　uphold 유지하다　passion 홍분　undercut 깎다　stale 한물간

You make a big election about small things.

And you know what - it's worked before. Because it feeds into the cynicism we all have about government. When Washington doesn't work, all its promises seem empty. If your hopes have been **dashed** again and again, then it's best to stop hoping, and settle for what you already know.

I get it. I realize that I am not the likeliest candidate for this office. I don't fit the typical **pedigree**, and I haven't spent my career in the halls of Washington.

But I stand before you tonight because all across America something is stirring. What the **nay-sayers** don't understand is that this election has never been about me. It's been about you.

For eighteen long months, you have stood up, one by one, and said enough to the politics of the past. You understand that in this election, the greatest risk we can take is to try the same old politics with the same old players and expect a different result. You have shown what history teaches us - that at defining moments like this one, the change we need doesn't come from Washington. Change comes to Washington. Change happens because the American people demand it - because they rise up and insist on new ideas and new leadership, a new politics for a new time.

여러분은 큰 선거에서 작은 것들을 다루고 있는 것입니다.

★ ★ ★

그리고 알고 계십니까? 그건 전에는 통했습니다. 왜냐하면 그것은 우리 모두가 정부에 대해 갖고 있는 냉소주의를 확산시키기 때문입니다. 워싱턴 정치가 작동하지 않으면, 그 모든 약속들은 공허해 보입니다. 여러분의 희망이 계속해서 꺾이면, 희망하는 것을 그만 두고 여러분이 이미 아는 것에 만족하는 것이 최선이니까요.

알겠습니다. 저는 이 일에 최선의 후보는 아니라는 점을 알고 있습니다. 저는 전형적인 혈통에 맞지도 않고, 워싱턴 정가에서 경력을 쌓은 것도 아닙니다.

★ ★ ★

그러나 저는 미 전국에서 무엇인가 움직이고 있기 때문에 오늘 밤 여러분 앞에 섰습니다. 반대론자들이 이해하지 못하는 것은 이 선거가 결코 저에 대한 것이 아니라는 점입니다. 그것은 여러분에 대한 것이었습니다.

18개월이라는 오랜 기간 동안, 여러분은 한 사람씩 일어나 지난 정치에게 충분하다고 말했습니다. 여러분은 이 선거에서 우리의 최대의 위험은 똑같은 오래된 정치인으로 똑같은 정치를 시도하면서 다른 결과를 기대하는 것이라는 점을 이해하고 계십니다. 여러분들은 역사가 우리에게 가르치는 것, 즉 이번 선거와 같은 결정적인 순간에는 우리에게 필요한 변화는 워싱턴으로부터 오지 않는다는 것을 보여 주셨습니다. 변화가 워싱턴으로 옵니다. 변화는 미 국민들이 요구하기 때문에 일어납니다. 그들이 일어나서 새 시대를 위한 새로운 생각과 새로운 리더십, 새로운 정치를 고집하기 때문입니다.

word tip!

dash 꺾다 pedigree 혈통 nay-sayer 반대론자

America, this is one of those moments.

I believe that as hard as it will be, the change we need is coming. Because I've seen it. Because I've lived it. I've seen it in Illinois, when we provided health care to more children and moved more families from welfare to work. I've seen it in Washington, when we worked **across party lines** to open up government and hold lobbyists more accountable, to give better care for our veterans and keep nuclear weapons out of terrorist hands.

And I've seen it in this campaign. In the young people who voted for the first time, and in those who got involved again after a very long time. In the Republicans who never thought they'd pick up a Democratic ballot, but did. I've seen it in the workers who would rather cut their hours back a day than see their friends lose their jobs, in the soldiers who **re-enlist** after losing a limb, in the good neighbors who take a stranger in when a hurricane strikes and the floodwaters rise.

This country of ours has more wealth than any nation, but that 's not what makes us rich. We have the most powerful military on Earth, but that's not what makes us strong. Our universities and our culture are the envy of the world, but that's not what keeps the world coming to our shores.

미국이여, 이번이 그러한 순간들 중 하나입니다.

저는 아무리 힘들지라도 우리에게 필요한 변화는 오고 있다고 믿습니다. 왜냐하면 저는 그것을 보았기 때문입니다. 왜냐하면 저는 그것을 살아 봤기 때문입니다. 저는 일리노이에서 우리가 더 많은 어린이들에게 의료보험을 제공하고 더 많은 가정을 복지 시설에서 일터로 옮겼을 때 그것을 보았습니다. 저는 워싱턴에서 정부를 개방하고 로비스트들에게 더 많은 책임을 지우기 위하여, 참전 용사에게 더 나은 배려를 해 주고 핵무기가 테러리스트의 손에 들어가지 못하도록 하기 위하여 당파적 노선을 초월하여 일했을 때 그것을 보았습니다.

★ ★ ★

그리고 저는 이 선거 운동에서 그것을 보았습니다. 최초로 투표하는 젊은이들과 아주 오랜만에 다시 참여하는 사람들에게서 말입니다. 민주당에 투표하리라고는 결코 생각해 본 적이 없었지만 그렇게 한 공화당 지지자들에게서 말입니다. 저는 친구들이 직장을 잃는 걸 보기보다는 차라리 자신들의 근로 시간을 하루 줄여 버리는 근로자들에게서, 팔다리를 잃은 후에도 재입대하는 병사들에게서, 허리케인이 몰려오고 홍수가 났을 때 이방인을 받아 주는 좋은 이웃들에게서 그것을 보았습니다.

우리의 이 나라는 다른 그 어떤 나라보다도 더 많은 부를 가지고 있지만, 그것이 우리를 부자로 만들어 주는 것은 아닙니다. 우리는 지구에서 가장 강한 군을 보유하고 있지만, 그것이 우리를 강하게 만들어 주는 것은 아닙니다. 우리의 대학들과 우리의 문화는 세계의 부러움의 대상이지만, 그것이 세계가 우리나라의 국경을 넘어오도록 만들어 주는 것은 아닙니다.

word tip!

across party lines 당의 노선을 초월하여 re-enlist 재입대하다

Instead, it is that American spirit - that American promise - that pushes us forward even when the path is uncertain; that binds us together in spite of our differences; that makes us fix our eye not on what is seen, but what is unseen, that better place **around the bend**.

That promise is our greatest **inheritance**. It's a promise I make to my daughters when I tuck them in at night, and a promise that you make to yours - a promise that has led immigrants to cross oceans and pioneers to travel west; a promise that led workers to picket lines, and women to reach for the ballot.

And it is that promise that forty five years ago today, brought Americans from every corner of this land to stand together on a Mall in Washington, before Lincoln's Memorial, and hear **a young preacher from Georgia** speak of his dream.

The men and women who gathered there could've heard many things. They could've heard words of anger and **discord**. They could've been told to **succumb** to the fear and frustration of so many dreams **deferred**.

But what the people heard instead - people of every creed and color, from every walk of life - is that in America, our destiny is **inextricably** linked. That together, our dreams can be one.

그 대신, 그것은 미국의 정신, 미국의 약속입니다. 심지어 길이 불확실할 때에도 우리를 앞으로 밀어 주고, 우리의 차이점에도 불구하고 우리를 함께 묶어 주고, 보이는 것이 아니라 보이지 않는 것, 즉 한 고비를 넘겼을 때 더 나은 곳이 되는 것에 우리의 눈을 고정하게 만드는 약속 말입니다.

그 약속이 우리의 가장 위대한 유산입니다. 그것이 제가 밤에 제 딸들을 재우러 침대에 눕힐 때 하는 약속이며, 여러분이 여러분의 딸들에게 하는 약속입니다. 이민자들이 대양을 건너오고 탐험가들이 서부로 여행을 하도록 이끈 약속입니다. 근로자들을 시위로 이끌고 여성들이 투표권에 손을 뻗치도록 이끈 약속입니다.

그리고 그것은 45년 전 오늘, 미국인들을 이 땅의 모든 곳에서 불러모아 워싱턴 국회의사당에서, 링컨 기념관 앞에서, 함께 서서 조지아 출신의 한 젊은 목사가 그의 꿈을 얘기하는 것을 듣게 한 약속입니다.

★　★　★

거기에 모인 사람들은 많은 것들을 들었을 수 있습니다. 그들은 분노와 불화의 말을 들었을 수도 있습니다. 그들은 그렇게 많은 지체된 꿈들의 공포와 좌절에 굴복하라는 말을 들었을 수도 있습니다.

그러나 모든 신념과 모든 피부색, 모든 신분의 사람들이 그러한 얘기 대신 들었던 것은, 미국에서 우리의 운명은 불가분으로 연결되어 있다는 것이었습니다. 그렇게 함께, 우리의 꿈은 하나가 될 수 있습니다.

word tip!

around the bend 한 고비를 넘긴 inheritance 유산 a young preacher from Georgia 킹 목사
discord 불화 succumb 굴복하다 defer 지체하다 inextricably 불가분으로

"We cannot walk alone," the preacher cried. "And as we walk, we must make the pledge that we shall always march ahead. We cannot turn back."

America, we cannot turn back. Not with so much work to be done. Not with so many children to educate, and so many veterans to care for. Not with an economy to fix and cities to rebuild and farms to save. Not with so many families to protect and so many lives to mend. America, we cannot turn back. We cannot walk alone. At this moment, in this election, we must pledge once more to march into the future. Let us keep that promise - that American promise - and in the words of **Scripture** hold firmly, without **wavering**, to the hope that we confess.

Thank you, and God Bless the United States of America.

"우리는 홀로 걸을 수 없습니다." 그 목사는 말했습니다. "그리고 우리가 걸을 때, 우리는 항상 앞으로 행진할 것이라는 맹세를 해야 합니다. 우리는 돌아갈 수 없습니다."

★　★　★

미국이여, 우리는 돌아갈 수 없습니다. 해야 할 일을 그렇게 많이 두고서는 안 됩니다. 교육시켜야 할 어린이들과 돌봐야 할 참전 용사를 그렇게 많이 놔두고서는 안 됩니다. 고쳐야 할 경제와 재건해야 할 도시와 구제해야 할 농장을 놔두고는 안 됩니다. 그렇게 많은 보호해야 할 가정들과 치유해야 할 삶을 놔두고는 안 됩니다. 미국이여, 우리는 돌아갈 수 없습니다. 우리는 홀로 걸을 수 없습니다. 이 순간, 이 선거에서, 우리는 한 번 더 미래로 행진하는 맹세를 해야 합니다. 그 약속, 미국의 약속을 지킵시다. 그리고 성경 말씀처럼, 굳게, 흔들림 없이, 우리가 고백하는 희망을 고수합시다.

감사합니다. 그리고 미국에게 신의 축복을.

word tip!

Scripture 성서 waver 흔들리다

"There are patriots who opposed the war in Iraq
and there are patriots who supported the war in Iraq.
We are one people, all of us pledging allegiance to the stars
and stripes, all of us defending the United States of America."

이라크 전쟁을 반대하는 사람도,
이라크 전쟁을 지지하는 사람도 모두 애국자들입니다.
우리는 한 국가의 일원이며 우리 모두는
성조기 앞에서 충성과 함께 미국을 지키기를 서약했습니다.

Floor Statement of Senator Barack Obama on Iraq Debate

Iraq

"병사들을 집으로"

오바마는 2002년 이라크 전쟁에 반대하는 연설 때부터 항상 같은 입장을 취하고 있다. 이 같은 일관된 태도는 힐러리 클린턴, 메케인과의 차별성을 부각시키는 데 큰 역할을 했다.

잘못된 전쟁을 강하게 반대해 온 오바마는 이 연설에서 가능한 한 빨리 병사들을 귀환시킬 수 있도록 책임지는 방법을 찾아야 한다고 강조한다.

Mr. President, in October of 2002, I delivered a speech opposing the War in Iraq.

I said that Saddam Hussein was a ruthless man, but that he posed no imminent and direct threat to the United States.

I said that a war in Iraq would take our focus away from our efforts to defeat al-Qaeda.

And, with a **volatile** mix of ethnic groups and a complicated history, I said that the invasion and occupation of Iraq would require a U.S. occupation of undetermined length, at undetermined cost, with undetermined consequences.

In short, I felt the decision **unfolding** then to invade Iraq was being made without a clear rationale, based more on ideology and politics than fact and reason.

It is with no great pleasure that I recall this now. Too many young men and women have died. Too many have been **maimed**. Too many hearts have been broken. I **fervently** wish I had been wrong about this war; that my concerns had been **unfounded**.

버락 오바마 상원의원의 이라크 정책에 대한 토론 이라크

MP3 track 08.

대통령님, 2002년 10월에, 저는 이라크 전쟁에 반대하는 연설을 했습니다. 저는 사담 후세인이 무자비한 사람이지만 미국에 당장의 직접적인 위협은 되지 않는다고 말씀드렸습니다.

저는 이라크 전쟁이 알 카에다를 패배시키고자 하는 우리의 노력으로부터 관심의 초점을 돌리게 할 것이라는 사실을 말씀드렸습니다.

그리고 여러 인종 그룹이 불안하게 얽혀 있고 복잡한 역사를 가진 이라크를 침공하고 점령한다면 미국의 점령은 기약 없는 것이 될 것이며, 예측할 수 없는 비용에 예측할 수 없는 결과를 가져올 것이라 말씀드렸습니다.

간단히 말해서, 저는 그 당시에 드러나던 이라크 침공 결정이 분명한 근거도 없이, 사실과 이성보다는 이데올로기와 정치에 더 많은 근거를 두고서 내려지고 있었다는 것을 느꼈습니다.

★　★　★

· 저는 이러한 것을 지금 마지못해 회상합니다. 너무나 많은 젊은 남녀 병사들이 죽었습니다. 너무나 많은 이들이 불구가 되었습니다. 너무나 많은 사람들이 마음의 상처를 입었습니다. 저는 이 전쟁에 대해 제가 잘못 알고 있는 것이었으면 좋겠습니다. 저의 염려가 근거 없는 것이었으면 좋겠습니다.

word tip!

volatile 폭발하기 쉬운 unfold 전개되다. 명확해지다 maim 불구로 만들다 fervently 열렬히 unfounded 근거없는

America and the American people have paid a high price for the decision to invade Iraq and **myriad** mistakes that followed. I believe that history will not judge the authors of this war kindly.

For all these reasons, I would like nothing more than to support the Kerry Amendment; to bring our brave troops home on a date certain, and spare the American people more pain, suffering and sorrow.

But having visited Iraq, I'm also acutely aware that a **precipitous** withdrawal of our troops, driven by Congressional **edict** rather than the realities on the ground, will not undo the mistakes made by this Administration. It could compound them.

It could compound them by **plunging** Iraq into an even deeper and, perhaps, **irreparable** crisis.

We must exit Iraq, but not in a way that leaves behind a security vacuum filled with terrorism, chaos, ethnic cleansing and genocide that could **engulf** large **swaths** of the Middle East and **endanger** America. We have both moral and national security reasons to manage our exit in a responsible way.

미국과 미국인들은 이라크 침공에 대한 결정과 그 이후에 저지른 무수한 실수 때문에 값비싼 대가를 치렀습니다. 저는 역사가 이 전쟁을 일으킨 장본인들을 가혹하게 심판할 것이라고 믿습니다.

이러한 모든 이유 때문에 저는 케리 수정안, 즉 우리의 용감한 군대를 정해진 날짜에 본국으로 철수시키고 미국민에게 더 이상의 고통, 아픔, 슬픔을 주지 말아야 한다는 수정안 외에는 어떤 것도 지지할 수가 없습니다.

★ ★ ★

그러나 저는 이라크를 다녀와서 저 또한 우리 군대를 황급하게 철수시키는 것, 그것도 전장의 현실보다는 의회의 명령에 의해서 철군하는 것은 지금의 행정부가 저지른 실수를 만회하지 못할 것이라는 것을 뼈저리게 인식하게 되었습니다. 그것은 실수를 배가시키는 경우가 될 것입니다.

그것은 이라크를 훨씬 더 심각한, 아마도 돌이킬 수 없는 위기로 내몰면서 이 행정부의 실수를 배가시킬 수 있습니다.

★ ★ ★

우리는 이라크에서 빠져 나와야 합니다. 그러나 중동 전역을 줄줄이 삼키고 미국을 위험에 빠뜨릴 수 있는 테러, 혼란, 인종 청소 및 대량 학살 등이 이라크 안보의 공백을 메우게 하는 그런 방식은 안 됩니다. 우리는 책임감 있는 방식으로 우리의 철군을 준비하고 이루기 위한 도덕적이며 국가 안보상의 명분을 갖고 있습니다.

I share many of the goals set forth in the Kerry Amendment. We should send a clear message to the Iraqis that we won't be there forever, and that by next year our primary role should be to conduct **counter-insurgency** actions, train Iraqi security forces, and provide needed **logistical** support.

Moreover, I share the frustration with an Administration whose policies with respect to Iraq seem to simply repeat the simple-minded **refrains** of "we know best" and "stay the course." It's not acceptable to conduct a war where our goals and strategies drift aimlessly regardless of the cost in lives or dollars spent, and where we end up with **arbitrary, poll-driven** troop reductions by the Administration - the worst of all possible outcomes.

As one who strongly opposed the decision to go to war and who has met with servicemen and women injured in this conflict and seen the pain of the parents and loved ones of those who have died in Iraq, I would like nothing more than for our military involvement to end.

But I do not believe that setting a date certain for the total withdrawal of U.S. troops is the best approach to achieving, in a **methodical** and responsible way, the three basic goals that should drive our Iraq policy: that is, 1) stabilizing Iraq and giving the **factions** within Iraq the space they need to **forge** a political settlement; 2) **containing** and ultimately defeating the **insurgency** in Iraq; and 3) bringing our troops safely home.

저는 케리 수정안에 명시된 많은 목표를 공유하고 있습니다. 우리는 이라크 국민에게 우리가 이라크에 영원히 주둔하지 않을 것이라는 분명한 메시지를 주어야 합니다. 그리고 내년까지 우리의 주요한 역할이 폭동을 제압하는 임무이고, 이라크 보안군을 훈련시키는 것이며, 필요한 병참 지원을 한다는 분명한 메시지를 보내야 합니다.

더구나, 저는 이라크와 관련한 어느 정부의 정책이 "우리가 최선이야" 그러니까 "끝까지 가는 거야"라는 생각 없는 후렴구를 단순히 반복하는 것 같다는 좌절감을 모든 이와 같이 느끼고 있습니다. 인명 손실 또는 소요되는 군비와 상관없이 우리의 목표와 전략이 무작정 표류하는 전쟁, 그리고 결국 정부에 의한 독단적이고 여론에 휘둘린 병력 감축의 결과를 가져오는 전쟁은 수행할 수가 없습니다. 그것은 나올 수 있는 결과 중의 최악의 것입니다.

★　★　★

이라크 전쟁을 강력하게 반대하고 이 전쟁에서 부상을 당한 남녀 병사들을 만났으며, 이라크전에서 전사한 이들의 부모와 사랑하는 이들의 고통을 본 사람으로서, 저는 우리 군대의 참전이 종식되는 것 외에는 어떠한 것도 지지할 수가 없습니다.

그러나 저는 미 병력 전원이 철수하기 위한 날짜를 잡는 것이, 방법론적이고 책임론적인 면에서, 우리의 이라크 정책을 추진하는 기본적인 세 가지 목표를 달성하는 데 최선의 것이라고는 생각하지 않습니다. 즉, 1) 이라크를 안정시키고 이라크 내의 여러 당파들에게 정치적 해결책을 세울 필요가 있는 공간을 제공하는 일. 2) 이라크 내의 폭동을 저지하고 궁극적으로 진압하는 일. 3) 우리 군을 안전하게 귀환시키는 일.

word tip!

counter-insurgency 대폭동 logistical 병참의 refrain 후렴구 arbitrary 임의의 poll-driven 여론조사에 따른 methodical 체계적인 faction 당파 forge 맺다 contain 저지하다 insurgency 폭동. 테러

What is needed is a blueprint for an **expeditious** yet responsible exit from Iraq. A **hard and fast**, arbitrary deadline for withdrawal offers our commanders in the field, and our diplomats in the region, insufficient flexibility to implement that strategy.

For example, let's say that a **phased** withdrawal results in fifty thousand troops in Iraq by July 19, 2007. If, at that point, our generals and the Iraqi government tell us that having those troops in Iraq for an additional three or six months would **enhance** stability and security in the region, this amendment would potentially prevent us from pursuing the optimal policy.

It is for this reason that I cannot support the Kerry Amendment. Instead, I am a cosponsor of the Levin amendment, which gives us the best opportunity to find this balance between our need to begin a **phase-down** and our need to help stabilize Iraq. It tells the Iraqis that we won't be there forever so that they need to move forward on uniting and securing their country. I agree with Senator Warner that the message should be "we really **mean business**, Iraqis, **get on with it**." At the same time, the amendment also provides the Iraqis the time and the opportunity to accomplish this critical goal.

필요한 것은 이라크에서 신속하게 그러나 책임질 수 있는 방법으로 귀환시키기 위한 청사진입니다. 철군을 위한 융통성 없고 독단적인 기한 설정은 우리의 이라크 야전 사령관과 현지 외교관에게 그러한 전략을 실행하는 데 충분한 융통성을 주지 못합니다.

★ ★ ★

예를 들어, 이라크에서 단계적 철수가 2007년 7월 19일까지 5만 명의 병력으로 끝난다고 해 봅시다. 만약에 그 시점에서 우리의 장군들과 이라크 정부가 그러한 병력이 이라크에서 추가로 3~6개월 더 주둔한다면 그 지역에서 안정과 안전을 더 강화할 수 있을 것이라고 말한다고 해도 이 수정안 때문에 우리는 잠재적으로 최적의 정책을 펼 수가 없을 것입니다.

★ ★ ★

제가 케리 수정안을 지지할 수 없는 것은 바로 이러한 이유 때문입니다. 대신, 저는 레빈 수정안의 공동 지지자입니다. 레빈 수정안은 단계적 철군의 필요성과 이라크 안정에 도움을 줄 필요성 사이의 이러한 균형을 찾을 수 있는 최고의 기회를 제시하고 있습니다. 그것은 이라크인들에게 우리가 이라크에 영원히 주둔하지 않기 때문에 그들 자신이 국가의 단합과 안전을 도모해야 한다는 사실을 말해 주고 있습니다. 저는 워너 상원의원의 "이라크 국민 여러분, 정말 진담입니다. 계속 해 나가세요"라는 메시지에 공감합니다. 동시에 그 수정안은 또한 이라크 국민에게 이런 중대한 목표를 성취할 시간과 기회를 제공하고 있습니다.

word tip!

expeditious 편리한 hard and fast 변경을 허락하지 않는, 융통성 없는 phased 단계적인 enhance 증대하다 phase-down 단계적 감축 mean business 진심이다 get on with it 시작하다

Essential to a successful policy is the Administration listening to its generals and diplomats and members of Congress - especially those who disagree with their policies and believe it is time to start bringing our troops home.

The overwhelming majority of the Senate is already on record voting for an amendment stating that calendar year 2006 should be a period of significant transition to full Iraqi sovereignty, with Iraqi security forces taking the lead for the security, creating the conditions for the phased **redeployment** of United States forces from Iraq. The Levin Amendment builds on this approach.

The White House should follow this principle as well. Visiting Iraq for a few hours cannot **resuscitate** or justify a failed policy. No amount of **spin** or photo opportunities can change **the bottom line**: this war has been poorly conceived and poorly managed by the White House, and that is why it has been so poorly received by the American people.

And it's troubling to already see Karl Rove in New Hampshire, treating this as a political attack opportunity instead of a major national challenge around which to rally the country.

성공적인 정책에 필수적인 것은 장군들, 외교관들 그리고 의원들의 말에 정부가 귀를 기울이는 일인데, 특히 자신들의 정책에 반대해서 이제는 우리의 병력을 귀환시킬 때가 됐다고 믿는 사람들의 소리에 귀를 기울이는 것입니다.

　　상원에서의 압도적 다수가, 2006년이 이라크 보안군이 이라크의 안보를 주도적으로 담당하고 미군이 이라크에서 철군하여 단계적으로 재배치되는 상황을 만드는 등 완전한 주권이 이라크로 이양되는 중요한 시기임을 명시하고 있는 수정안에 대한 투표가 이미 공표되었습니다. 레빈 수정안이 이러한 해결 방법을 토대로 하고 있습니다.

★　★　★

　　백악관도 이 원칙을 따라야 합니다. 몇 시간 동안의 이라크 방문이 실패한 정책을 소생시키거나 정당화할 수는 없습니다. 어떠한 분량의 홍보 기회 또는 사진 촬영 기회도 결론을 바꿀 수는 없습니다. 즉, 이 전쟁은 백악관이 무작정 계획했고 제대로 이끌지도 못했다는 것이며, 그래서 그러한 이유 때문에 국민들의 공감을 얻지 못했습니다.

★　★　★

　　그리고 이미 뉴햄프셔에서 칼 로브 백악관 부실장이 어려운 주요 국사를 해결하기 위해 국민을 한데 모이게 하는 대신 이러한 것을 정치적 공격의 기회로 삼는 것을 보니 곤혹스러운 일이 아닐 수 없습니다.

word tip!

redeployment 이동　resuscitate 소생시키다　spin 정보조작, 정부견해　the bottom line 결론

There are no easy answers to this war. I understand that many Americans want to see our troops come home. The chaos, violence, and horrors in Iraq are **gut-wrenching** reminders of what our men and women in uniform, some just months out of high school, must confront on a daily basis. They are doing this heroically, they are doing this selflessly, and more than 2,500 of them have now made the ultimate sacrifice for our country.

Not one of us wants to see our servicemen and women in harm 's way a day longer than they have to be. And that's why we must find the most responsible way to bring them home as quickly as possible, while still leaving the foundation of a secure Iraq that will not endanger the free world.

이 전쟁에 대한 쉬운 해결책은 없습니다. 저는 많은 국민들이 우리의 군대가 귀환하는 모습을 보고 싶어 한다는 사실을 이해하고 있습니다. 이라크의 혼란, 폭력 그리고 공포는 제복을 입은 우리의 남녀 병사들이 겪게 되는 모진 고통의 기억입니다. 고등학교를 졸업한 지 불과 몇 달밖에 되지 않은 일부 병사는 매일 겪어야 하는 고통이기도 합니다. 그들은 영웅처럼 이 일을 하고 있습니다. 그들은 이기심을 버리고 이 일을 하고 있습니다. 그리고 2,500명이 넘는 사람들이 조국을 위해 궁극적인 희생, 즉 목숨을 버렸습니다.

★　★　★

우리 중의 어느 누구도 우리의 병사들이 군복무 기간 중에 전장에서 다치는 모습을 하루도 더 보고 싶어 하지 않습니다. 그리고 그러한 이유 때문에 우리는 자유세계에 위험을 주지 않을 안전한 이라크의 토대를 계속 만들면서 가능한 한 빨리 그들을 귀환시킬 수 있는 가장 책임감 있는 방법을 찾아야 합니다.

word tip!
gut-wrenching 괴로운

"우리가 모두 일어서기 위해 그녀는 앉아야만 했다.
그리고 차별의 벽은 허물어졌다. - 제시 잭슨"

1960년대까지만 해도 미국의 공공장소에는 흔하게 'for whites only(백인만 출
입가능)'나 'no blacks and dogs(흑인과 개 사절)'와 같은 문구를
볼 수 있었다. 더욱이 오바마의 부모가 결혼했던 이 시기에는 미국 전체에서
절반 이상의 주에서 흑인과 백인의 결혼을 중죄로 규정하고 있었다.

1955년 미국에서 로사파크라는 한 흑인 여성이 버스에서 백인에게
좌석을 양보하지 않아 체포되어 벌금이 부과되는 사건이 발생했다.
이른바 '로사파크 사건'은 이후 루터 킹 목사를 필두로 흑인들의 버스 이용
보이콧을 촉발시켰고, 1963년의 25만명의 흑인들의 유색인종 권리를 위한
시민운동의 동기를 제공했다.
    결국 로사파크 사건은 1965년 흑인들의 선거권 획득에까지 이르게 되었다.
오바마에게 로사파크 케이스는 그의 배경을 이루는 가장 중요한 사건일 수밖에
없다.

Senate Floor Statement. October 25, 2005

Death
of Rosa Parks
- Civil Rights

Death of Rosa Parks
- Civil Rights

Mr. President, today the nation mourns a genuine American hero. Rosa Parks died yesterday in her home in Detroit. Through her courage and by her example, Rosa Parks helped lay the foundation for a country that could begin to live up to its creed.

Her life, and her brave actions, reminded each and every one of us of our personal responsibilities to stand up for what is right and the central truth of the American experience that our greatness as a nation **derives from seemingly** ordinary people doing extraordinary things.

Rosa Parks' life was a lesson in perseverance. As a child, she grew up listening to the Ku Klux Klan ride by her house and lying in bed at night fearing that her house would be burnt down. In her small hometown in Alabama, she attended a one-room school for African-American children that only went through the sixth grade. When she moved to Montgomery, Alabama, to continue her schooling, she was forced to clean classrooms after school to pay her tuition. Although she attended Alabama State Teachers College, Rosa Parks would later make her living as a **seamstress** and housekeeper.

로사 파크의 죽음 - 시민의 권리

MP3 track 09.

대통령 님, 오늘 국민들이 진정한 미국의 영웅 때문에 슬퍼하고 있습니다. 로사 파크 여사가 어제 디트로이트 자택에서 사망했습니다. 그녀의 용기를 통해서 그리고 그녀의 본보기에 의해서, 로사 파크 여사는 신념에 따라 살기 시작한 한 나라의 기반을 마련하는 데 기여했습니다.

그녀의 삶, 그리고 그녀의 용기 있는 행동은 우리 각자에게 옳한 나라의 위대함은 평범한 국민이 평범하지 않은 일을 할 때 얻어진다는, 미국인의 경험 한 가운데 있는 진실을 위해 일어서야 하는 우리 개인의 책임감을 상기시켜 주었습니다.

★ ★ ★

로사 파크 여사의 인생은 인내를 교훈으로 하고 있습니다. 어렸을 때, 그녀는 KKK가 그녀의 집에 들이닥치는 소리를 들으면서 밤에 침대에 누워 집이 불에 타지는 않을까 두려워하면서 자랐습니다. 앨라배마에 있는 그녀의 작은 고향 마을에서, 그녀는 6학년까지만 있는 흑인계 미국인들을 위한 원룸 학교에 다녔습니다. 그녀가 학업을 계속하기 위해서 앨라배마의 몽고메리로 이사를 갔을 때, 그녀는 방과 후에 학비를 벌기 위해 교실 청소를 해야 했습니다. 그녀는 앨라배마 주립 교육 대학에 다녔지만, 나중에 재봉사와 가정부로서 생계를 꾸려 갔습니다.

---

word tip!

derive from ~로부터 오다 seemingly 겉보기에는 seamstress 재봉사

But she didn't accept that her opportunities were limited to sewing clothes or cleaning houses. In her forties, Rosa Parks was appointed secretary of the Montgomery branch of the **NAACP** and was active in voter registration **drives** with the Montgomery Voters League. In the summer of 1955, she attended the Highlander Folk School, where she took classes in workers' rights and racial equality. Well before she made headlines across the country, she was a highly respected member of the Montgomery community and a committed member of the civil rights effort.

Of course, her name became permanently **etched** in American history on December 1, 1955, when she was arrested for refusing to give up her seat to a white passenger on a Montgomery bus. It wasn't the first time Rosa Parks refused to **acquiesce** to the **Jim Crow** system. The same bus driver who had her arrested had thrown her off a bus the year before for refusing to give up her seat.

Some schoolchildren are taught that Rosa Parks refused to give up her seat because her feet were tired. Our nation's schoolbooks are only getting it half right. She once said: "The only tired I was, was tired of giving in."

하지만 그녀는 자신의 기회가 옷을 바느질하고 또는 집을 청소하는 것으로 제한되어 있다는 사실을 인정하지 않았습니다. 40대가 되어, 로사 파크 여사는 전미 유색인 지위 향상 협회(NAACP) 몽고메리 지부의 비서로 임명되었고 몽고메리 유권자 연맹과 함께 유권자 등록 캠페인에 적극적으로 활동했습니다. 1955년 여름, 그녀는 하이랜더 민속 학교에 다녔는데, 그곳에서 그녀는 노동자들의 권리와 인종 평등 수업을 들었습니다. 그녀가 미국 전역의 신문 1면을 장식하기 전에, 그녀는 몽고메리 커뮤니티의 아주 존경받는 일원이었으며 시민권 운동의 헌신적인 운동가였습니다.

★　★　★

물론 그녀의 이름이 영구적으로 미국 역사에 새겨진 것은 1955년 12월 1일이었는데, 그때 그녀는 한 몽고메리 버스 안에서 백인 승객에게 자리를 양보하지 않아 체포되었습니다. 로사 파크 여사가 흑인 차별 정책에 반기를 든 것은 그때가 처음이 아니었습니다. 그녀를 체포에 이르게 한 같은 버스 기사가 그 전해에도 자리를 양보하지 않았다 하여 그녀를 버스 밖으로 던져 버린 적이 있었습니다.

일부 학생들은 학교에서 로사 파크 여사가 발이 아파서 자리를 양보하지 않았다고 배우고 있습니다. 우리나라의 교과서는 절반만 바로 가르치고 있습니다. 그녀는 한때 이렇게 말한 적이 있습니다. "나는 굴복을 강요당할 때 유일하게 아픔을 느꼈습니다."

🗒️**word tip!**

NAACP(National Association for the Advancement of Colored People) 전미 유색인 지위 향상 협회 drive 운동 etch 각인하다 acquiesce 순순히 복종하다 Jim Crow 흑인 차별

This **solitary** act of civil disobedience became a call to action. Her arrest led a then relatively unknown pastor, Martin Luther King, Jr., to organize a boycott of the Montgomery bus system. That boycott lasted 381 days and **culminated in** a landmark Supreme Court decision finding that the city's segregation policy was **unconstitutional**.

This solitary act of civil disobedience was also the spark that **ignited** the beginning of the end for segregation and inspired millions around the country and ultimately around the world to get involved in the fight for racial equality.

Rosa Parks' **persistence** and determination did not end that day in Montgomery, nor did it end with the passage of the Civil Rights Act and Voting Rights Act years later. She stayed active in the NAACP and other civil rights groups for years. From 1965 to 1988, Ms. Parks continued her public service by working for my good friend Congressman John Conyers. And in an example of her **low-key demeanor**, her job in Congressman Conyers' office did not involve appearances as a **figurehead** or celebrity; she helped homeless folks find housing.

At the age of 74, she opened the Rosa and Raymond Parks Institute for Self-Development, which offers education and job training programs for disadvantaged youth.

시민 불복종의 고독한 행보가 행동 개시의 신호가 되었습니다. 그녀의 체포 소식은 그 당시 비교적 알려지지 않은 목사였던 마틴 루터 킹 주니어로 하여금 몽고메리 버스 회사의 보이콧 운동을 주도하게 만들었습니다. 그러한 보이콧 운동은 381일 동안 계속되었고 시의 인종 차별 정책이 위헌이라고 판시한 역사적인 대법원 판결 때 절정에 이르렀습니다.

시민 불복종의 고독한 행보 또한 인종 차별 정책의 종말을 알리기 시작하고, 미국 전역에 그리고 궁극적으로 전 세계의 수백만 명의 사람들이 인종 평등을 위한 싸움의 대열에 참여하도록 하는 불씨에 불을 댕겼습니다.

* * *

로사 파크 여사의 끈기와 의지는 그날 몽고메리에서 끝나지 않았으며, 시민권 법안 및 투표 권리 법안이 몇 년 후에 통과되고서도 끝나지 않았습니다. 그녀는 다년간 NAACP와 다른 시민권 단체에서 활동적으로 일을 했습니다. 1965년부터 1988년까지, 파크 여사는 저의 훌륭한 친구인 존 코너스 의원을 위해 일을 하면서 자신의 공적인 봉사를 계속했습니다. 그리고 그녀의 겸손한 태도의 예를 들자면, 코너스 의원의 사무실에서 일하는 것은 간판이나 유명인사로서의 외양과는 상관이 없는 일이었습니다. 그녀는 노숙자들이 집을 구하는 데 도움을 주었습니다.

74세의 나이에, 그녀는 불우한 청소년들을 위한 교육과 직업 훈련 프로그램을 제공하는 '자기 개발을 위한 로사와 레이몬드 파크 연구소'를 열었습니다.

word tip!

solitary 외로운 culminate in 드디어 ~이 되다 unconstitutional 위헌의 ignite 점화하다 persistence 끈기 low-key 내색하지 않는 demeanor 몸가짐 figurehead 꼭두각시

And even into her 80s, Rosa Parks gave lectures and attended meetings with civil rights groups.

At the age of 86, Rosa Parks' courage and **fortitude** was recognized by President Bill Clinton, who awarded her the nation's highest honor for a civilian - the Congressional Gold Medal.

As we honor the life of Rosa Parks, we should not limit our **commemorations** to **lofty eulogies**. Instead, let us commit ourselves to carrying on her fight, one solitary act at a time, and ensure that her passion continues to inspire as it did a half-century ago. That, in my view, is how we can best thank her for her immense contributions to our country.

Rosa Parks once said: "As long as there is unemployment, war, crime and all things that go to the **infliction** of man's **inhumanity** to man, regardless - there is much to be done, and people need to work together." Now that she's passed, it's up to us to make sure that her message is shared. While we will miss her cherished spirit, let's work to ensure that her legacy lives on in the heart of the nation.

As a personal note, I think it is fair to say were it not for that quiet moment of courage by Mrs. Parks, I would not be standing here today. I owe her a great thanks, as does the Nation. She will be sorely missed.

Thank you. I yield the floor.

그리고 80대로 들어서면서, 로사 파크 여사는 강의를 하였고, 시민권 단체와의 모임에 참석하였습니다.

86세의 나이에, 로사 파크 여사의 용기와 불굴의 정신이 빌 클린턴 대통령에 의해 인정받아, 민간인에 대한 국가의 최고의 영예인 의회 골드 메달을 수상했습니다.

★ ★ ★

로사 파크 여사의 일생을 기리면서, 우리의 기념이 고상한 찬사로 제한되어서는 안 됩니다. 대신, 그녀의 투쟁, 한 번에 한 번 고독하게 행하는 투쟁을 이어가는 데 우리 자신을 던지고, 그녀의 열정이 반세기 전에 그랬던 것처럼 우리에게 계속 영감을 주는 것이 되도록 합시다. 저의 의견으로는, 그녀가 그러한 과정을 통해 우리나라에 엄청난 기여를 했다는 것에 우리는 최고의 감사를 드려야 합니다.

로사 파크 여사는 이렇게 말한 적이 있습니다.: "실업, 전쟁, 범죄 그리고 인간이 인간에게 가하는 모든 비인간적인 일들이 존재하는 한, 할 일은 많고, 사람들은 함께 노력해야 합니다." 라고 말입니다. 이제 그녀가 가고 없는 이상, 그녀의 메시지를 함께 나누도록 하는 것은 우리에게 달려 있습니다. 우리는 그녀의 소중한 정신을 그리워하면서 그녀의 유산이 온 국민의 가슴속에 살아 숨 쉬도록 합시다.

개인 메모로 한 말씀 드리자면, 파크 여사의 그러한 조용한 순간의 용기가 없었다면 제가 오늘 이 자리에 있을 수 없다고 생각합니다. 저는 그녀에게 커다란 감사를 드려야 합니다. 그것은 모든 국민이 마찬가지입니다. 그녀의 명복을 빕니다.

감사합니다. 그만 마치겠습니다.

---

word tip!

fortitude 의연함 commemoration 기념 lofty 고상한 eulogy 칭송 infliction 가함 inhumanity 잔학행위

"Money is not the only answer, but it makes a difference."

부가 유일한 답은 아닙니다. 그러나 그것은 차별을 만듭니다.

Groundbreaking Ceremony. November 13, 2006

Dr. Martin Luther King Jr. National Memorial

Civil Rights

"꿈이 이루어지다"

40년 전만해도 흑백 분리주의 정책이 엄존했던 미국에서 2008년에는 처음으로 흑인 대통령이 탄생했다. 오바마의 승리는 흑인 민권운동계에 지난 험난한 세월을 회고함과 아울러 환희를 안겨준 역사적인 사건이었다.

흑인 민권 운동가이자 노벨평화상 수상자이기도 한 마틴 루터 킹 목사는 1955년 흑백 분리 버스 이용 보이콧을 시작으로 본격적으로 흑인민권운동을 시작했다. 오바마 역시 미국 사회에서 소수계인 흑인으로서 인권문제에 큰 관심을 가져왔으며 대학에서 반 아파르헤이트(인종차별 정책)집회에 참가하면서 처음으로 정치활동에 관심을 갖기 시작했다. 오바마의 승리는 마틴 루터 킹을 비롯한 수많은 이들의 꿈이 실현된 결과라 볼 수 있다.

I want to thank first of all the King family, we would not be here without them, I want to thank Mr. Johnson and the foundation for allowing me to share this day with all of you. I wish to recognize as well my colleagues in the United States Senate who have helped make today possible. Senators Paul Sarbanes and John Warner, who wrote the bill for this memorial. Senators Thad Cochran and Robert Byrd who **appropriated** the money to help build it. Thank you all.

I have two daughters, ages five and eight. And when I see the plans for this memorial, I think about what it will be like when I first bring them here upon the memorial's completion. I imagine us walking down to this tidal basin, between one memorial **dedicated** to the man who helped **give birth to** a nation, and another dedicated to the man who **preserved** it. I picture us walking beneath the shadows cast by the Mountain of Despair, and gazing up at the Stone of Hope, and reading the quotes on the wall together as the water falls like rain.

And at some point, I know that one of my daughters will ask, perhaps my youngest, will ask, "Daddy, why is this monument here? What did this man do?"

마틴 루터 킹 주니어 기념식 연설 인권

MP3 track 10.

저는 먼저 킹 목사 가족들에게 감사를 표하고자 합니다. 그들이 없었다면 오늘의 저도 여기에 없을 테니 말입니다. 오늘 여러분 모두와 이날을 함께할 수 있도록 해 주신 존슨 씨와 재단에 감사를 드립니다. 또한 오늘을 가능하게 하는 데 도움을 주었던 미 상원 소속의 제 동료 의원들에게도 감사를 드리고자 합니다. 이러한 기념관의 건립을 위해 법안을 마련해 준 폴 사베인과 존 워너 상원의원, 재정 지원이 가능하도록 도움을 주신 태드 코크런과 로버트 버드 상원의원, 모두에게 감사를 드립니다.

★　★　★

제게는 다섯 살과 여덟 살이 된 두 딸이 있습니다. 이 기념관 건립 계획을 보면서, 기념관이 완성되었을 때 아이들을 제일 처음 데려오면 어떨지 생각하게 됩니다. 저는 저와 두 딸이 국가를 탄생시키는 위대한 일에 헌신했던 사람들에게 헌정된 기념관과 그것을 유지하기 위해 또 다른 희생을 바친 사람들에게 헌정된 기념관 사이의 이곳 타이들 베이슨으로 걸어 들어오는 모습을 상상해 봅니다. 저는 저와 두 딸이 '절망의 산'이 드리운 그늘 아래를 지나 '희망의 돌'을 바라보면서 비처럼 물이 떨어지는 벽에 적힌 인용문을 함께 읽습니다.

그러다 어느 시점에서 딸들 중 아마도 둘째가 이렇게 물을 것 같습니다. "아빠, 이 기념관이 왜 여기 세워져 있어? 이 사람은 무슨 일을 한 거야?"라고 말입니다.

word tip!
groundbreaking ceremony 기공식　appropriate 사용을 승인하다　dedicate 바치다　give birth to 낳다
preserve 지키다

How might I answer them? Unlike the others **commemorated** in this place, Dr. Martin Luther King Jr. was not a president of the United States - at no time in his life did he hold public office. He was not a hero of foreign wars. He never had much money, and while he lived he was **reviled** at least as much as he was celebrated. By his own accounts, he was a man frequently **racked** with doubt, a man not without flaws, a man who, like Moses before him, more than once questioned why he had been chosen for so **arduous** a task - the task of leading a people to freedom, the task of healing the **festering** wounds of a nation's original sin.

And yet lead a nation he did. Through words he gave voice to the voiceless. Through deeds he gave courage to the **faint** of heart. **By dint of** vision, and determination, and most of all faith in the **redeeming power** of love, he endured the **humiliation** of arrest, the loneliness of a prison cell, the constant threats to his life, until he finally inspired a nation to transform itself, and begin to live up to the meaning of its creed.

Like Moses before him, he would never live to see the Promised Land. But from the mountain top, he pointed the way for us - a land no longer torn **asunder** with racial hatred and ethnic **strife**, a land that measured itself by how it treats **the least of these**, a land in which strength is defined not simply by the capacity to **wage war** but by the determination to **forge** peace - a land in which all of God's children might come together in a spirit of brotherhood.

제가 아이들에게 어떻게 대답해야 하겠습니까? 이곳에서 추모하고 있는 다른 분들과는 달리 마틴 루터 킹 목사는 미국의 대통령이 아니었습니다. 그는 평생 단 한 번도 공직에 머문 적이 없었습니다. 그는 외국에서 일어난 전쟁에 참전했던 영웅도 아니었습니다. 그는 돈을 많이 번 적도 없고 살아 있는 동안 칭송만큼이나 욕설도 많이 들었습니다. 킹목사 자신의 평가에 따르면 그는 종종 의심을 품곤 하던 사람이었으며, 결점이 없지 않은 사람이었고, 오래전 모세가 그랬던 것처럼 그토록 어려운 일, 즉 사람들을 자유로 인도하는 일, 한 나라가 저지른 원죄로 인해 썩어 가는 상처를 치유하는 일에 왜 자신이 선택되었는지 여러 차례 자문했던 사람이었습니다.

★　★　★

　그럼에도 그는 한 국가를 인도했습니다. 연설을 통해, 그는 소리를 내지 못하는 사람들에게 목소리를 부여했습니다. 행동을 통해, 그는 마음이 약한 사람들에게 용기를 주었습니다. 통찰력과 결단력의 힘으로, 그리고 무엇보다도 사랑이 갖고 있는 구속에 대한 믿음으로, 그는 체포당할 때의 굴욕과 감옥에서의 외로움과 끊임없는 생명에의 위협을 견뎌 냈고 마침내 한 국가가 스스로의 변화를 통해 그 신조의 의미에 부합하며 살기 시작하도록 이끌었습니다.

　오래전의 모세와 마찬가지로 그는 약속의 땅을 보지 못하고 생을 마감했습니다. 하지만 그는 산꼭대기에서 우리에게 길을 가리켜 주었습니다: 인종에 대한 증오심과 민족 간의 갈등으로 갈라지지 않는 땅, 가장 작은 사람들을 대우하는 방식에 따라 스스로의 수준을 가늠하는 땅, 힘이란 단순히 전쟁을 일으키는 능력이 아니라 평화를 이루는 결단력이라고 정의되는 땅, 모든 신의 자녀들이 형제애 가운데 하나가 될 수 있는 땅 말입니다.

---

word tip!

commemorate 기념하다　revile 매도하다　rack 괴롭히다　arduous 힘든　fester 곪다　faint 연약한　by dint of ~의 힘으로　redeeming power 회복력　humiliation 굴욕　asunder 산산조각 나　strife 싸움　the least of these 이들 중 가장 약한 사람들　wage war 전쟁을 벌이다　forge 이루다

We have not yet arrived at this **longed for** place. For all the progress we have made, there are times when the land of our dreams **recedes** from us - when we are lost, wandering spirits, content with our suspicions and our angers, our long-held **grudges** and petty disputes, our **frantic diversions** and tribal **allegiances**.

And yet, by **erecting** this monument, we are reminded that this different, better place **beckons** us, and that we will find it not across distant hills or within some hidden valley, but rather we will find it somewhere in our hearts.

In the Book of Micah, Chapter 6, verse 8, the prophet says that God has already told us what is good.

"What doth the Lord require of thee, the verse tells us, but to do justly, and to love mercy, and to walk humbly with thy God?"

The man we honor today did what God required. In the end, that is what I will tell my daughters - I will leave it to their teachers and their history books to tell them the rest. As Dr. King asked to be remembered, I will tell them that this man gave his life serving others. I will tell them that this man tried to love somebody.

우리는 킹 목사를 비롯한 우리 모두가 그토록 오랫동안 바라던 곳에 아직 도달하지 못했습니다. 많은 진보를 이루었음에도 불구하고, 우리가 꿈꾸었던 땅이 뒤로 성큼 물러난 적도 있었습니다. 우리가 길을 잃고, 방황하는 영혼으로 의혹과 분노, 케케묵은 원한과 사소한 분쟁, 광적인 일탈과 종족에 대한 맹목에 만족할 때 말입니다.

★　★　★

　그럼에도 이 기념관을 세움으로써 우리는 지금까지와는 다른, 더 나은 곳이 우리를 향해 손짓하고 있음을 알게 됩니다. 이제 우리는 그곳을 멀리 떨어져 있는 언덕이나 은폐돼 있는 계곡 속에서 발견하는 것이 아니라 우리들 마음속 어딘가에서 발견하게 될 것임을 알게 됩니다. 〈미가서〉 6장 8절에서 선지자는 신께서 우리에게 이미 무엇이 선인가를 말씀하셨다고 했습니다. "여호와께서 네게 구하시는 것이 오직 공의를 행하며 인자를 사랑하며 겸손히 네 하나님과 함께 행하는 것이 아니냐?"

★　★　★

　오늘 우리가 기리는 사람은 신께서 요구하신 것을 행했던 분입니다. 결국 저는 딸들에게 그렇게 말할 것입니다. 나머지는 아이들의 선생님들과 역사책이 알려 주도록 맡겨 둘 것입니다. 킹 목사를 기념하는 자리에서는 저는 아이들에게 그는 남들에게 봉사하며 평생을 바쳤다고 말할 것입니다.

---

word tip!

long for 갈망하다　recede 퇴보하다　grudge 원한　frantic 광란의　diversion 교란　allegiance 충성
erect 세우다　beckon 부르다

I will tell them that because he did these things, they live today with the freedom God intended, their citizenship unquestioned, their dreams **unbounded**. And I will tell them that they too can love. That they too can serve.

And that each generation is beckoned anew, to fight for what is right, and **strive** for what is just, and to find within itself the spirit, the sense of purpose, that can remake a nation and transform a world. Thank you very much.

저는 아이들에게 사람을 사랑하려고 애쓰신 분이라고 말할 것입니다. 저는 아이들에게 킹 목사가 이런 일을 했기 때문에 아이들이 오늘날 신께서 의도하신 자유를 누리고, 시민권을 당연한 것으로 여기며, 꿈의 나래를 펼치며 살게 되었다고 말해 줄 것입니다. 그리고 아이들 역시 사랑할 수 있다고 말해 줄 것입니다. 아이들도 봉사할 수 있다고 말해 줄 것입니다.

그리고 모든 세대는 새로운 부름에 응해서 저마다 옳은 것을 위해 싸우고, 정의로운 것을 위해 노력하며, 그 안에서 국가를 새롭게 만들고 세계를 변화시켜 줄 수 있는 정신과 목적의식을 발견해야 한다고 말해 줄 것입니다.

word tip!
unbounded 무한한 strive 투쟁하다

"새로운 에너지를 찾아"

오바마는 에너지 의존에 의한 온난화, 기후변화에 대해
"경제 살리기"에 이은 제 2의 국가 핵심 정책의제로 적극적인
태도를 보였다. 대선 공약에서도 2050년까지 CO_2 80% 감축하고
새로운 에너지 절약 기술에 1,500억불을 투자하겠다고 했다.

기후변화는 우리 모두가 직면해야하는 현실이며 지연(delay)은
더 이상 대안이 아니고 거부(denial) 역시 더 이상 받아들일 수 있는
반응이 아니라고 주장했다. 오바마는 나의 대통령 취임으로 미국은
기후변화라는 도전에 앞장설 수 있는 새로운 장을 열게 될 것이며,
이는 궁극적으로 미국의 안보를 강화시키고 수백만 명의 새로운
고용을 창출하게 될 것이라고 말했다.

April 3, 2006

Energy Independence and the Safety of our Planet

Energy Independence and the Safety of Our Planet

★
★
★
★
★

In April of 2005, Elizabeth Kolbert did a series of articles for The New Yorker about climate change. In one of those articles, she tells a very interesting story about some of the effects we're already seeing from global warming.

About fifteen years ago, in the furthest reaches of Alaska, the people of a small, thousand-year-old, oceanfront hunting village noticed something odd. The ice that surrounded and protected the village, which is only twenty feet above sea level, began to grow **slushy** and weak. Soon, it began to freeze much later in the fall and melt much earlier in the spring.

As the ice continued to melt away at an alarming pace during the 1990s, the village began to lose the protection it offered and became more **vulnerable** to **storm surges**. In 1997, the town completely lost a hundred-twenty-five-foot-wide **strip** of land at its northern edge. In 2001, a storm with twelve-foot waves destroyed dozens of homes. And finally, in the summer of 2002, with the storms intensifying, the ice melting, and the land shrinking all around them, the residents of Shishmaref were forced to move their entire town miles inland - abandoning their homes forever.

에너지 의존성 탈피와 지구의 안전

2005년 4월, 엘리자베스 콜버트는 〈더 뉴요커〉지에 기후 변화에 대한 일련의 기사를 실었습니다. 그 기사 가운데 하나에서 그녀는 우리가 지구 온난화로 인해 이미 목격하고 있는 몇 가지 결과에 대한 매우 흥미로운 이야기 하나를 들려줍니다.

★　★　★

15년쯤 전에 알래스카의 가장 외진 곳 해안가에 위치한, 천 년이나 된 조그만 사냥 마을에 사는 사람들이 뭔가 이상한 것을 발견했습니다. 높이가 해발 6미터밖에 되지 않는 그 마을을 에워싸고 보호해 주고 있던 얼음이 해수면으로부터 녹기 시작하면서 부석부석하고 약해진 것이었습니다. 곧 그 얼음은 가을이 한참 지나서야 얼기 시작했고, 봄이 오기 한참 전에 녹기 시작했습니다.

1990년대에 얼음이 계속해서 놀라운 속도로 녹아내리자, 그 마을은 얼음 방벽을 잃어버리기 시작하면서 폭풍 해일에 더 취약한 상태가 되었습니다. 1997년에 그 마을은 북쪽 끝 38미터 넓이의 땅을 완전히 잃고 말았습니다. 2001년, 6미터 높이의 해일과 함께 불어온 폭풍으로 수십 채의 주택이 파괴되었습니다. 그리고 마침내 2002년 여름에 폭풍이 더욱 심해지고, 얼음이 녹고, 주변의 땅이 가라앉으면서 시스마레프 마을 주민들은 살던 집을 아주 버리고 몇 마일 떨어진 내륙으로 이주할 수밖에 없었습니다.

word tip!

slushy 눈 녹은　vulnerable 취약한　storm surge 폭풍 해일　strip 조각

The story of the Village That Disappeared is by no means isolated. And it is by no means over.

All across the world, in every kind of environment and region known to man, increasingly dangerous weather patterns and **devastating** storms are abruptly putting an end to the long-running debate over whether or not climate change is real. Not only is it real, it's here, and its effects are giving rise to a frighteningly new global phenomenon: the man-made natural disaster.

For decades, we've been warned by **legions of** scientists and **mountains of** evidence that this was coming - that we couldn 't just keep burning fossil fuels and contribute to the changing atmosphere without consequence. And yet, for decades, far too many have ignored the warnings, either dismissing the science as a hoax or believing that it was the concern of **enviros** looking to save polar bears and rainforests.

But today, we're seeing that climate change is about more than a few unseasonably mild winters or hot summers. It's about the chain of natural **catastrophes** and devastating weather patterns that global warming is beginning to **set off** around the world - the frequency and intensity of which are breaking records thousands of years old.

'사라진 마을'의 이야기는 결코 남의 이야기가 아닙니다. 그리고 결코 종결된 이야기도 아닙니다.

　전 세계인들에게 알려진 온갖 종류의 환경과 지역에서 점점 더 위험한 기후 패턴과 무서운 폭풍이 일어나 기후 변화의 사실 여부에 대한 오랜 토론에 종지부를 찍고 있습니다. 이제 그것은 사실일 뿐만 아니라 현재 이곳에서 일어나고 있는 일이며 그 결과 인간이 만든 자연재해라는 무시무시한 새로운 지구적 현상을 낳고 있습니다.

★　★　★

　수십 년 동안, 우리는 수많은 과학자들과 산더미 같은 증거 자료를 통해 이런 현상이 다가올 것이며, 우리가 아무런 결론도 없이 계속 화석 연료를 태워 대기 변화를 가져올 수 없다는 경고를 받아 왔습니다. 그럼에도 지난 수십 년 동안 너무나 많은 사람들이 과학을 사기라 치부하고, 그것이 북극곰과 열대 우림을 지키려는 환경론자들의 기우라고 믿으며, 그 경고를 애써 무시해 왔습니다.

★　★　★

　그러나 우리는 오늘날의 기후 변화가 계절에 맞지 않게 따뜻한 겨울이나 더운 여름 정도에 그치는 일이 아님을 확인하고 있습니다. 지구 온난화가 수천 년 동안의 기록을 깨는 빈도와 강도로 전 세계에서 시작되고 있다는 것은 연쇄적으로 일어나는 자연재해와 참혹한 기후 패턴을 보면 바로 알 수 있는 것입니다.

word tip!

devastating 파괴적인　legions of 다수의　mountains of 다수의　enviro 의회 로비하는 환경보호론자
catastrophe 재앙　set off 출발하다

In Washington, issues come and go with the political winds. And they are generally covered through that prism: Who's up and who's down? Which party benefits? Which party loses?

But in these superficial exchanges, we often **lose sight of** the real and lasting meaning of the decisions we make and those we defer.

The issue of climate change is one that we ignore **at our own peril**. There may still be disputes about exactly how much we're contributing to the warming of the earth's atmosphere and how much is naturally occurring, but what we can be scientifically certain of is that our continued use of fossil fuels is pushing us to a point of no return. And unless we free ourselves from a dependence on these fossil fuels and **chart** a new course on energy in this country, we are condemning future generations to global catastrophe.

Just think about some of the trends we've seen.

Since 1980, we've experienced nineteen of the twenty hottest years on record - with 2005 being the hottest ever.

These high temperatures are drying up already dry land, causing **unprecedented** drought that's ruining crops, **devastating** farmers and spreading famine to already poor parts of the world.

위싱턴에서의 정치적 이슈들은 정치적인 풍향에 따라 나타났다가 사라집니다. 그리고 그러한 이슈들은 보통 누가 이기고 누가 지는가, 어느 당의 이익인가, 어느 당의 손실인가 하는 등의 프리즘을 통해 보도됩니다.

　그러나 이러한 피상적인 논의 속에서 우리는 스스로가 내리거나 연기하는 결정의 진정한 의미를 놓치는 경우가 종종 있습니다.

　기후 변화라는 이슈는 우리 스스로가 위험을 무릅쓴 채 무시하고 있는 이슈입니다. 우리 인간이 지구 온난화에 대해 정확히 얼마나 영향을 마치고 있는지, 자연적으로 발생하는 것은 얼마나 되는지에 관해 아직까지 논쟁의 여지가 있긴 하지만 과학적으로 확신할 수 있는 사실은 우리가 화석 연료를 계속 사용한다면 돌아올 수 없는 다리를 건널 것이라는 사실입니다. 그리고 화석 연료에 대한 의존에서 벗어나 에너지에 관한 새로운 진로를 찾지 못한다면, 우리는 미래 세대 모두를 지구적 재앙에 몰아넣고 마는 셈이 됩니다.

★　★　★

　우리가 본 몇 가지 경향에 대해서 한번 생각해 봅시다.

　1980년 이후 우리는 기록상 가장 더운 스무 해 중에서 열아홉 해를 겪었으며, 그중 최고는 2005년이었습니다.

　이런 고온 현상은 이미 건조해질 대로 건조해진 땅의 수분을 말려 미증유의 가뭄을 야기하고, 농작물을 파괴하고, 농부들을 도탄에 빠뜨리며, 전 세계에서 이미 가난한 지역에 기근을 더욱 확산시키고 있습니다.

word tip!

lose sight of ～을 보고 놓치다　at one's peril ～의 위험을 무릅쓰고　chart 계획하다　unprecedented 전례 없는　devastate 파괴하다

Over the last four decades, the percentage of the Earth's surface suffering drought has more than doubled. In the United States, the drought we experienced in 2002 was the worst in forty years. And in Africa, more rivers are beginning to dry up, threatening the water supply across the continent.

As more land becomes **parched**, more forests are starting to burn. Across Indonesia, throughout Alaska, and in the Western United States, wildfires have raged in recent years like never before. A new record was set in 2002, as more than 7 million acres burned from Oregon down to Arizona.

And while the situation on the land may look ugly, what's going on in the oceans is even worse. Hurricanes and typhoons thrive in warm water, and as the temperature has risen, so has the intensity of these storms. In the last thirty-five years, the percentage of Category 4 and 5 hurricanes has doubled, and the wind speed and **duration** of these storms has jumped 50%. A hurricane showed up in the South Atlantic recently when scientists said it could never happen. Last year, Japan set a new record when it suffered its tenth typhoon and the United States set a record for the most tornadoes we've ever had. And at one point, Hurricane Wilma was the most powerful storm ever measured.

지난 40년간 가뭄을 겪은 지표면의 비율이 두 배 이상 늘어났습니다. 미국에서 우리가 2002년에 겪은 가뭄은 지난 40년 중 최악이었습니다. 그리고 아프리카에서는 더 많은 강이 마르기 시작해 이제는 대륙 전체의 물 공급을 위협하고 있습니다.

점점 더 많은 땅이 말라 가면서, 더 많은 산불이 일어나고 있습니다. 인도네시아 전역에서, 알래스카에서, 그리고 미국 서부에서 최근 그 어느 때보다도 많은 산불이 휩쓸고 지나갔습니다. 2002년에는 오리건에서 애리조나에 이르는 700만 에이커 이상이 불타는 신기록이 세워지기도 했습니다.

★　★　★

그리고 지상에서의 상황이 심각하게 보일지 모르지만 한편으로 바다 속에서 벌어지는 일은 더욱 심각합니다. 난류 속에서 허리케인과 태풍이 활발히 일어납니다. 그래서 기온이 높아지면서 이러한 폭풍의 강도 또한 현저히 높아졌습니다. 지난 35년 동안 강도 4나 5의 허리케인 발생 비율이 두 배나 늘었고, 풍속과 폭풍의 지속 기간은 50퍼센트 이상 증가했습니다. 최근에 남대서양에서 발생한 허리케인은 과학자들이 결코 일어날 수 없다고 말했던 것입니다. 작년에 일본에서는 열 번의 태풍으로 새로운 기록을 세웠고 미국은 사상 최다의 토네이도 발생 기록을 세웠습니다. 그리고 어느 시점에 허리케인 윌마는 관측 사상 가장 강력한 폭풍으로 기록되기도 했습니다.

word tip!
parch 바짝 마르게 하다　duration 지속 기간

These are all frightening situations, but perhaps none more so than what is beginning to occur at the North and South Poles. There, a satellite image from space or a trip to the region shows **indisputable** evidence that the polar **ice caps** are melting. But it's not just a slow, steady **thaw** that's been occurring over centuries, it's a rapidly accelerating meltdown that may eventually dump enough water into the ocean to **annihilate** coastal regions across the globe.

In 1996, a melting Greenland dumped about 22 cubic miles of water into the sea. Today, just ten years later, it's melting twice as fast. In real terms, this means that every single month, Greenland is dumping into the ocean an amount of water 54 times greater than the city of Los Angeles uses in an entire year. All in all, Greenland has enough ice to raise the global sea level 23 feet, making a New Orleans out of nearly every coastal city imaginable.

Indeed, the Alaskan village of Shishmaref could be just the beginning.

And yet, despite all the **ominous harbingers** of things to come, we do not have to stand by helplessly and accept this future. In fact, we can't afford to. Climate change may be **unleashing** the forces of nature, but we can't forget that this has been accelerated by man and can be slowed by man too.

이 모든 것이 너무도 무서운 상황이지만, 남극과 북극에서 일어나고 있는 것에 비하면 아무것도 아닐지 모릅니다. 우주에서 찍은 위성 사진이나 그곳에 직접 가서 찍어 온 사진을 보면, 극지방의 빙하가 녹고 있다는 분명한 증거를 발견할 수 있습니다. 그러나 그것은 지난 수 세기에 걸쳐 일어나고 있는 느리고 끊임없는 해빙일 뿐 아니라 그것은 또한 전 세계의 해안 지역을 수몰시킬 수 있는 양의 물을 바다에 퍼부어 넣을 수도 있습니다.

1996년에는, 그린란드의 얼음이 녹아 약 22세제곱마일가량의 물이 바다로 들어갔습니다. 겨우 10년이 지난 오늘날은 녹는 속도가 두 배로 빨라졌습니다. 리얼하게 표현하자면, 이것은 매달 그린란드가 LA시 전체가 일 년 동안 쓰는 물의 54배나 많은 양을 바다로 쏟아붓고 있다는 말입니다. 대체적으로 그린란드에는 전 세계 해수면 높이를 7미터나 높여 상상할 수 있는 세상의 거의 모든 해안 도시를 '물에 잠긴 뉴올리언스'로 만들기에 충분한 얼음이 있습니다.

★　　★　　★

사실 알래스카의 시스마레프 마을은 시작에 불과할 수도 있습니다.

앞으로 닥칠 일에 대한 온갖 불길한 징조에도 불구하고, 우리가 무기력하게 서서 이러한 미래를 받아들여서는 안 됩니다. 우리는 그럴 만한 여유가 없습니다. 기후변화는 불가항력적인 자연의 냉혹한 현상이 될는지도 모르지만 우리는 이것이 인간에 의해서 더욱 빨라질 수도 있고 또한 인간에 의해서 느려질 수도 있다는 사실을 잊어서는 안됩니다.

word tip!

indisputable 논란의 여지가 없는　ice cap 만년설　thaw 해빙　annihilate 전멸시키다　ominous 불길한
harbinger 조짐　unleash 놓아주다

By now, the **culprit** of this climate change is a familiar one, as is the solution. Last September, when I gave my first speech on energy, I talked about how our dependence on oil is hurting our economy, **decimating** our auto industry, and costing us millions of jobs. A few months ago, I discussed how the oil we import is jeopardizing our national security by keeping us tied to the world's most dangerous and unstable regimes. And when it comes to climate change, it's the fossil fuels we insist on burning - particularly oil - that are the single greatest cause of global warming and the damaging weather patterns that have been its result.

You'd think by now we'd get the point on energy dependence. Never has the failure to take on a single challenge so **detrimentally** affected nearly every aspect of our well-being as a nation. And never have the possible solutions had the potential to do so much good for so many generations to come.

Of course, many Americans have gotten this point, and it's true that the call for energy independence is now coming from an amazingly diverse **coalition** of interests. From farmers and businesses, military leaders and CIA officials, scientists and **Evangelical** Christians, auto executives and unions, and politicians of almost every political **persuasion**, people are realizing that an oil future is not a secure future for this country.

지금까지 밝혀진 이러한 기후 변화의 주범은 그것의 해결책과 마찬가지로 아주 낮익은 것입니다. 지난 9월 처음으로 에너지 문제에 대한 연설을 하면서 저는 과도한 석유 의존이 우리 경제에 어떻게 해를 끼치고 어떻게 자동차 산업을 죽이고 있으며 그리고 어떻게 우리에게서 수백 만 개의 일자리를 빼앗아가는지 말했습니다. 몇 달 전에 저는 우리가 수입하는 석유가 우리로 하여금 세계에서 가장 위험하고 불안한 정권과 엮이게 됨으로써 어떻게 우리의 국가 안보에 위협을 가하고 있는지에 대해 이야기했습니다. 그리고 기후 변화 문제에 있어서, 지구 온난화와 그 결과로 생긴 파괴적인 기후 상태를 가져온 가장 큰 원인은 바로 우리가 계속 고집해서 태우는 화석 연료, 특히 석유인 것입니다.

★　★　★

　　이제 여러분은 우리가 에너지 의존성에 대해 이해했다고 생각하실 겁니다. 그러나 이렇게 단 하나의 문제를 제대로 해결하지 못해서 거의 모든 측면에서 한 나라의 안녕에 해악을 끼친 적이 없었습니다. 그리고 가능한 해결책들이 장차 다가올 세대에 그만치 유익한 일을 할 수 있는 잠재성을 가진 적도 없었습니다.

★　★　★

　　물론 많은 미국인들은 이 점을 충분히 이해하고 있으며, 현재 에너지 의존의 탈피를 요구하는 목소리가 놀라울 정도로 다양한 이해관계를 통해 나오고 있는 것도 사실입니다. 농경인, 재계, 군부 지도자와 CIA 관료, 과학자와 복음교 성도들, 자동차 산업 간부와 노동조합, 그리고 거의 모든 종류의 정치 파벌에서 나온 사람들은 석유의 미래가 이 나라의 안정된 미래가 아니라는 사실을 잘 알고 있습니다.

word tip!

culprit 범인 decimate 죽이다 detrimentally 해롭게 coalition 제휴 Evangelical 복음주의의
persuasion (정)파

And yet, when it comes to finding a way to end our dependence on fossil fuels, the greatest vacuum in leadership, the biggest failure of imagination, and the most stubborn refusal to admit the need for change is coming from the very people who are running the country.

By now, the Bush Administration's record on climate change is almost legendary. This is the administration that **commissioned** government experts and scientists to do a study on global warming, only to omit the part from the final report that said it was caused by humans. This is the administration that didn't try to improve **the Kyoto Treaty** by trying to include **oil guzzlers** like China and India, but walked away from the entire global effort to **stem** climate change. And just recently, this is the administration that tried to silence a NASA scientist for letting the rest of us know that yes, climate change is a pretty big deal.

Meanwhile, it's pretty tough to make any real progress on this issue in Congress when the Chairman of the committee in charge of the environment thinks that, in the face of literally thousands of scientists and studies that say otherwise, global warming is the "greatest **hoax** ever **perpetrated** on the American people." And you know it's bad when the star witness at his global warming hearing is a science fiction writer.

그럼에도 막상 화석 연료에 대한 우리의 의존성을 종식시킬 방법을 찾는 문제에 이르면, 지도력의 가장 큰 공백, 상상력의 가장 심각한 부재, 그리고 변화의 필요성을 받아들이려 하지 않는 가장 강한 완고함이 이 나라를 운영하고 있는 바로 그 사람들에게서 나타나고 있습니다.

★　★　★

　지금까지 부시 행정부의 기후 변화 기록은 가히 전설적인 수준입니다. 이 행정부는 지구 온난화에 관한 연구를 실시하도록 정부 전문가와 과학자들에게 위임하고도 최종 보고서에서 인간이 곧 그 원인이라는 부분을 누락시켰습니다. 이 행정부는 중국과 인도 같은 석유 소비국을 포함시킴으로써 교토협약을 개선하려고 노력하지 않았고 기후 변화를 근절하고자 하는 전 세계적인 노력을 외면했습니다. 그리고 바로 최근에 이 행정부는 항공우주국의 한 과학자가 우리에게 기후 변화가 상당히 큰 문제임을 알리려고 하자 그의 입을 막으려 했습니다.

★　★　★

　한편 환경분과위원회의 의장이 말 그대로 수천 명의 과학자들이 달리 말하는데도 불구하고 지구 온난화는 "미국 국민들이 당한 사상 최고의 사기극"이라고 말하고 있다면 이 이슈가 의회에서 제대로 된 성과를 거둔다는 것은 참으로 어려운 일입니다. 그리고 여러분은 지구 온난화 청문회에 나온 스타급 증인이 SF 작가라면 상황이 나쁘다는 것을 알게 됩니다.

> **word tip!**
> commission 위임하다　the Kyoto Treaty 교토 협약　oil guzzler 대량 석유 소비국　stem 막다
> perpetrate 범하다

Now, after the President's last **State of the Union**, when he told us that America was addicted to oil, there was a brief moment of hope that he'd finally do something on energy.

I was among the hopeful. But then I saw the plan.

His funding for renewable fuels is at the same level it was the day he took office. He refuses to call for even a modest increase in fuel-efficiency standards for cars. And his latest budget funds less then half of the energy bill he himself signed into law - leaving hundreds of millions of dollars in under-funded energy proposals.

This is not a serious effort. Saying that America is addicted to oil without following a real plan for energy independence is like admitting alcoholism and then **skipping out on** the 12-step program. It's not enough to identify the challenge - we have to meet it.

See, there's a reason that some have compared the quest for energy independence to the **Manhattan Project** or the Apollo moon landing. Like those historic efforts, moving away from an oil economy is a major challenge that will require a sustained national **commitment**

대통령이 마지막 연두 교서에서 미국이 석유에 중독되어 있다고 한 뒤에, 그가 에너지 문제에 대해 마침내 무슨 조치를 취할 것이라는 희망의 순간이 잠시 있었습니다.

★　★　★

저도 희망을 가진 사람들 중 한 명이었습니다. 그러나 그 후, 우리는 그들의 계획을 알게 되었습니다.

재활용할 수 있는 연료에 대한 대통령의 재정 지원은 취임 초기와 비슷한 수준에 머물러 있었습니다. 대통령은 자동차 연료 효율에 관한 적정한 수준의 기준 향상 요구도 거부했습니다. 그리고 최근의 예산안은 대통령 자신이 직접 서명한 에너지 법안 가운데 절반도 안 되는 부문에만 재정 지원이 이루어지게 해서 가뜩이나 자금이 부족한 에너지 관련 계획에 수억 달러의 예산 부족을 겪게 했습니다.

이것은 진지한 노력이 아닙니다. 미국이 에너지 의존 탈피에 대한 실질적인 계획을 따르지도 않으면서 석유에 중독되어 있다고 말하는 것은 마치 알코올 중독을 인정하면서도 12단계 금주 프로그램을 빼먹는 것이나 마찬가지입니다. 문제를 확인하는 것만으로는 충분하지 않습니다. 우리는 그 문제를 본격적으로 해결해야 합니다.

★　★　★

보십시오. 어떤 이들이 에너지의 의존 탈피에 대한 요청을 맨해튼 프로젝트나 아폴로의 달 착륙에 비교하는 데에는 그만한 이유가 있습니다. 그러한 역사적 노력과 같이, 석유 경제로부터 벗어나는 것은 국가 차원의 지속적인 노력이 필요한 커다란 과제이기 때문입니다.

---

word tip!

State of the Union 연두 교서 skip out on ~을 저버리다 Manhattan Project 맨해튼 계획(원자탄 개발 계획) commitment 헌신

During World War II, we had an entire country working **around the clock** to produce enough planes and tanks to beat **the Axis powers**. In the middle of the Cold War, we built a national highway system so we had a quick way to transport military equipment across the country. When we wanted to **pull ahead of** the Russians into space, we poured millions into a national education **initiative** that graduated thousands of new scientists and engineers.

America now finds itself at a similar crossroads. As gas prices keep rising, the Middle East grows ever more unstable, and the ice caps continue to melt, we face a now-or-never, once-in-a-generation opportunity to set this country on a different course.

Such a course is not only possible, it's already being pursued in other places around the world. Countries like Japan are creating jobs and slowing oil consumption by **churning out** and buying millions of fuel-efficient cars. Brazil, a nation that once relied on foreign countries to import 80% of its crude oil, will now be entirely self-sufficient in a few years thanks to its investment in biofuels.

So why can't we do this? Why can't we make energy security one of the great American projects of the 21st century?

제2차 세계대전 중에, 우리는 추축국을 물리친다는 명분 아래, 충분한 전투기와 탱크를 생산하기 위해 나라 전체가 24시간 내내 일했습니다. 냉전 중에 우리는 전국에 군수 물자를 빠르게 수송할 수 있는 도로를 갖기 위해 전국적인 고속도로 시스템을 구축했습니다. 우리가 러시아보다 앞서 우주로 나가기를 원했을 때, 수천 명의 새로운 과학자와 엔지니어를 배출한 전국적 교육 구상에 수백만 달러를 쏟아부었습니다.

★　★　★

　미국은 지금 현재 비슷한 기로에 서 있습니다. 휘발유 가격이 계속 폭등하고 있고 중동은 어느 때보다도 불안하며, 빙하가 계속해서 녹고 있는 가운데, 우리는 이 나라의 진로를 새롭게 모색하기 위해 지금이 아니면 할 수 없는, 한 세대에 한 번 올까 말까 한 기회를 맞고 있습니다.

★　★　★

　그러한 새로운 진로는 충분히 가능할 뿐만 아니라 세계의 다른 지역에서는 이미 추구되고 있습니다. 일본과 같은 나라는 연료 효율이 좋은 자동차를 대량 생산하고 구매함으로써 일자리를 창출함은 물론 석유 소비 또한 줄이고 있습니다. 원유 가운데 80퍼센트를 수입에 의존했던 나라인 브라질은 바이오 연료에 투자한 덕분에 몇 년 안에 완전 자급자족할 수 있게 될 것입니다.

　그러니까 우리가 못 할 이유가 무엇입니까? 우리가 에너지 안정성을 21세기 미국의 가장 큰 프로젝트 가운데 하나로 만들지 못할 이유가 무엇입니까?

word tip!

around the clock 24시간 내내　the Axis powers 추축국　pull ahead of ~에 앞서다　initiative 구상
churn out 대량생산하다

The answer is, with the right leadership, we can. We can do it by partnering with business, not fighting it. We can do it with technology we already have **on the shelf**. And we can do it by investing in the clean, cheap, renewable fuels that American farmers grow right here at home.

To deal directly with climate change, something we failed to do in the last energy bill, we should use a market-based strategy that gradually reduces harmful **emissions** in the most economical way. John McCain and Joe Lieberman are continuing to build support for legislation based on this approach, and Senators Bingaman and Domenici are also pursuing proposals that will cut carbon emissions. Right here in Chicago, the Chicago Climate Exchange is already running a legally **binding** greenhouse gas trading system.

The idea here is simple: if you're a business that can't yet meet the lower **cap** we'll put on harmful carbon emissions, you can either purchase **credits** from other companies that have achieved more than their emissions goal, or you can temporarily purchase a **permit** from the government, the money from which will go towards investments in clean energy technology. As Fred Krupp, the president of Environmental Defense has said, "Once you put a value on carbon reductions, you make winners out of innovators."

대답은, 올바른 지도력만 있다면 우리도 얼마든지 할 수 있다는 것입니다. 우리는 기업과 싸우는 것이 아니라 그들과 협력하여 그 일을 해낼 수 있습니다. 이미 우리가 개발해 놓은 기술을 활용하면 해낼 수 있습니다. 그리고 우리는 미국의 농부들이 바로 여기 국내에서 키우고 있는 깨끗하고, 저렴하며 재활용이 가능한 연료에 투자함으로써 해낼 수 있습니다.

★　★　★

지난 에너지 법안에서는 실패했지만 기후 변화에 직접적으로 대처하기 위해, 우리는 가장 경제적인 방식으로 유해 물질 배출을 점진적으로 줄여 나가는 시장주의의 전략을 이용해야 합니다. 존 매케인과 조 리버만이 이런 접근 방식에 근거한 법률 제정을 계속해서 지지하고 있으며, 빙거먼과 도미니치 상원의원도 탄소 배출을 줄일 수 있는 제안을 밀어붙이고 있는 중입니다. 바로 이곳 시카고의 기후변화연구소에서는 이미 법적으로 유효한 온실가스 교환 시스템을 가동하고 있습니다.

★　★　★

그 아이디어는 간단합니다. 즉, 만일 여러분이 유해 탄소 최저 배출량에 맞출 수 없는 기업체라면, 이미 배출 목표치를 달성한 다른 회사들의 탄소 배출 수치를 사거나 당분간 정부로부터 배출 허가권을 구매하면 됩니다. 그 돈은 청정에너지 기술 개발에 투자될 것입니다. 환경보호기구의 회장 프레드 크럽이 말했듯이, 탄소 배출 감소에 일단 가치를 부여하고 나면 혁신자들 가운데서 승자가 나오게 될 것입니다.

word tip!
on the shelf 사용하지 않는 emission 배출 binding 구속력 있는 cap 상한선 credit 권리 permit 허가증

Any strategy for reducing carbon emissions must also deal with coal, which is actually the most abundant source of energy in this country. To keep using this fossil fuel, I believe we need to invest in the kind of advanced coal technology that will keep our air cleaner while still keeping our coal mines in business. Over the next two decades, power companies are expected to build dozens of new coal-fired power plants, and countries like India and China will build hundreds. If they use **obsolete** technology, these plants will **emit** over 60 billion tons of **heat-trapping** pollution into the atmosphere. We need to act now and make the United States a leader in puting in place the standards and incentives that will ensure that these plants use available technology to capture carbon dioxide and **dispose of** it safely underground. But of course, one of the biggest contributors to our climate troubles and our energy dependence is oil, and so any plan for the future must drastically reduce our addiction to this dirty, dangerous, and ultimately finite source of energy.

We can do this by focusing on two things: the cars we drive and the fuels we use.

탄소 배출을 줄이기 위한 정책은 그 어떤 것이라도 사실상 우리나라에서 가장 풍부한 에너지 자원인 석탄을 다루어야 합니다. 저는 화석 연료를 계속 이용하기 위해서, 우리가 석탄 산업을 여전히 유지하면서도 공기를 더욱 청정하게 해 줄 발전된 석탄 기술에 투자할 필요가 있다고 믿습니다. 앞으로 20년 동안에 걸쳐 전력 회사들은 수십 곳에 석탄을 이용한 발전소를 새로 지을 것으로 예상되며, 인도나 중국 같은 나라들도 수백 곳에 발전소를 새로 지을 것입니다. 그들이 여전히 낙후된 기술을 이용한다면 이런 발전소는 60억 톤이 넘는 공해 물질을 대기 속으로 방출하게 될 것입니다. 미국은 지금 행동을 취해 이런 발전소들이 이산화탄소를 놓치지 않고 잡아 지하에서 안전하게 처리하는 데 필요한 기술을 사용하게 해 줄 기준과 장려책을 마련하는 지도국이 되어야 합니다. 그러나 물론 기후 문제와 에너지 의존성의 가장 큰 원인을 제공하는 것 중의 하나가 석유이며, 따라서 앞으로 그 어떤 계획도 이 더럽고 위험하며 유한한 에너지원에 대한 우리의 중독 상태를 철저하게 줄여 나가야 하는 것이어야 합니다.

★　★　★

　우리는 두 가지, 즉 우리가 모는 자동차와 사용하는 연료에 초점을 맞춤으로써 이 일을 해낼 수 있습니다.

word tip!
obsolete 쓸모없는　emit 배출하다　heat-trapping 열을 가두는　dispose of ~을 버리다

The President's energy proposal would reduce our oil imports by 4.5 million barrels per day by 2025. Not only can we do better than that, we must do better than that if we hope to **make a real dent in** our oil dependency. With technology we have on the shelves right now and fuels we can grow right here in America, by 2025 we can reduce our oil imports by over 7.5. million barrels per day - an amount greater than all the oil we are expected to import from the entire Middle East.

For years, we've hesitated to raise fuel economy standards as a nation in part because of a very **legitimate** concern - the impact it would have on Detroit. The auto industry is right when they argue that **transitioning** to more hybrid and fuel-efficient cars would require massive investment at a time when they're struggling under the weight of rising health care costs, **sagging** profits, and **stiff** competition.

But it's precisely because of that competition that they don't have a choice. China now has a higher fuel economy standard than we do, and Japan's Toyota is doubling production of the popular Prius to sell 100,000 in the U.S. this year.

대통령의 에너지 계획안은 2025년까지 석유 수입량을 하루 450만 갤런씩 감소시켜 줄 것입니다. 그러나 우리는 그보다 더 큰 성과를 이룰 수 있을 뿐만 아니라 석유에 대한 의존성을 정말로 줄이고자 한다면 그보다 더 큰 성과를 내야 합니다. 지금 이미 개발해 놓은 기술과 바로 이곳 미국에서 만들어낼 수 있는 연료를 이용한다면, 우리는 2025년까지 석유 수입량을 하루 750만 갤런 이상 감소시킬 수 있을 것입니다. 이는 중동 전역에서 수입할 것으로 예상되는 것보다 훨씬 많은 양입니다.

★　★　★

　　우리는 여러 해 동안 국가적으로 연료에 대한 경제 기준을 높이는 데 주저해 왔는데, 부분적으로 그것은 미국 자동차 산업의 중심지인 디트로이트에 미칠 영향에 대한 아주 이치에 맞는 염려 때문이었습니다. 자동차 산업에서 보다 더 하이브리드하고 연료 효율이 높은 자동차로 옮겨 가려면 건강보험료 인상과 이윤 하락, 치열한 경쟁 때문에 분투하고 있는 시기에 엄청난 투자가 필요할 것이라고 주장하는 것도 맞는 말입니다.

★　★　★

　　그러나 그들에게 선택권이 없는 것은 정확히 바로 그런 경쟁 때문입니다. 현재 중국은 우리보다 연료에 대한 더 높은 경제 기준을 갖고 있으며 일본의 도요타는 올해 미국에서 10만 대의 차를 팔기 위해 인기 있는 프리우스 차종의 생산을 두 배로 늘리고 있습니다.

word tip!
make a dent in ~을 줄게 하다　legitimate 합리적인　transition 전환하다　sagging 줄어드는　stiff 격심한

There is now no doubt that fuel-efficient cars represent the future of the auto industry. If American car companies hope to be a part of that future - if they hope to survive - they must start building more of these cars. This isn't just about energy - this is about the ability to create millions of new jobs and save an entire American industry.

But that's not to say we should leave the industry to face the **transition** costs on its own. Yes, we should raise fuel economy standards by 3% a year over the next fifteen years, starting in 2008. With the technology they already have, this should be an achievable goal for automakers. But we can help them get there.

Right now, one of the biggest costs facing auto manufacturers isn't the cars they make, it's the health care they provide. Health care costs make up $1,500 of the price of every GM car that's made - more than the cost of steel. Retiree health care alone cost the Big 3 automakers nearly $6.7 billion just last year.

I believe we should make the auto companies a deal that could solve this problem. It's a piece of legislation I introduced called "Health Care for Hybrids," and it would allow the federal government to **pick up part of the tab for** the auto companies ' retiree health care costs. In exchange, the auto companies would then use some of that savings to build and invest in more fuel-efficient cars.

현재 연료 절약형 차가 자동차 산업의 미래를 대변한다는 것은 의문의 여지가 없습니다. 만약에 미국의 자동차 회사가 그러한 미래의 일부가 되기를 원한다면, 즉 생존하기를 원한다면, 그들은 이러한 차를 더 많이 생산해야 합니다. 이것은 에너지에 국한된 문제가 아니라, 수백만 개의 새로운 일자리를 만들고 미국 전역의 산업을 구할 수 있는 능력에 관한 문제입니다.

★　★　★

그러나 그렇다고 우리의 자동차 산업이 홀로 전환 비용을 감당하도록 내버려둬야 한다는 말은 아닙니다. 그렇습니다. 우리는 2008년부터 시작해서 향후 15년 동안 연간 3퍼센트씩 연료에 대한 경제 기준을 올려야 합니다. 자동차 회사들은 이미 그러한 기술을 가지고 있기 때문에 이는 성취 가능한 목표일 것입니다. 그러나 우리도 도와야 합니다.

지금 당장 자동차 제조사들이 지불하는 가장 큰 비용 가운데 하나는 그들이 만드는 자동차가 아니라, 그들이 제공하는 건강보험입니다. 건강보험 비용은 GM 자동차 한 대의 가격 중에서 1500달러를 차지하는데, 이는 철강재 비용보다 더 많은 수치입니다. 퇴직자 건강보험으로만 지난해 3대 자동차 제조사는 67억 달러에 가까운 비용을 지출했습니다.

저는 우리가 이 문제를 해결할 새로운 계약을 자동차 회사들에게 만들어 주어야 한다고 믿습니다. 그것이 제가 제출한 '하이브리드 차를 위한 건강보험'이라는 입법안인데 그것은 연방 정부가 자동차 회사의 퇴직자 건강보험 비용의 일부를 대신 지불하도록 하는 것입니다. 그 대가로 자동차 회사들은 거기서 남는 돈 가운데 일부를 보다 연료 효율이 높은 자동차를 만들고, 거기에 투자하는 데 쓸 것입니다.

word tip!

transition 전환 pick up the tab for ~의 값을 지불하다

It's a win-win proposal for the industry - their retirees will be taken care of, they'll save money on health care, and they'll be free to invest in the kind of fuel-efficient cars that are the key to their competitive future.

But building cars that use less oil is only one side of the equation. The other involves replacing the oil we use with the home-grown biofuels that will finally slow the warming of the planet. In fact, one study shows that using **cellulosic** ethanol fuel instead of oil can reduce harmful emissions by up to 75%.

Already, there are hundreds of fueling stations that use a **blend** of ethanol and gasoline known as E85, and there are millions of cars on the road with the flexible-fuel tanks necessary to use this fuel - including my own right here in Illinois.

But the challenge we face with these biofuels is getting them out of the labs, out of the farms, and onto the wider commercial market.

The federal government can help in a few ways here, and recently, I introduced the American Fuels Act with Senator Dick Lugar to get us started.

이것은 자동차 산업을 위한 상생의 제안이 될 것입니다. 즉, 퇴직자들은 보험 혜택을 받을 것이고 회사는 건강보험 비용을 절약하게 되어 경쟁적인 미래의 열쇠가 되는 연료 효율이 높은 자동차에 자유롭게 투자할 수 있게 될 것입니다.

★ ★ ★

그러나 휘발유를 적게 사용하는 자동차를 제조하는 것은 방정식의 절반일 뿐입니다. 다른 절반은 우리가 사용하는 휘발유를 집에서 만든 바이오 연료로 대체해서 결과적으로 지구 온난화를 늦추는 것입니다. 사실, 한 연구에 따르면 휘발유 대신 셀룰로오스 에탄올을 사용하면 최고 75퍼센트까지 유해 물질 방출을 감소시킬 수 있다고 합니다.

이미 에탄올과 가솔린을 섞어 만든 E85라는 바이오 연료를 사용하는 주유소가 수백 군데나 있고, 제가 이곳 일리노이 주에서 타고 다니는 차를 포함해서 이 연료를 사용하는 데 필요한 호환성 연료 탱크를 장착한 자동차들이 도로에 수백만 대씩 다니고 있습니다.

그러나 이러한 바이오 연료에 대해 우리가 직면한 과제는 그것을 실험실에서, 그리고 농장에서 가지고 나와 보다 더 넓은 상업 시장에 내놓는 것입니다.

★ ★ ★

연방 정부는 이 부분에서 몇 가지 도움을 줄 수 있는데, 제가 최근 딕 루가 상원의원과 함께 '미국 연료 법안'을 제출하여 도움의 시동을 걸었습니다.

word tip!
cellulosic 셀룰로오스의 **blend** 혼합, 혼합하다

First, this legislation would reduce the risk of investing in renewable fuels by providing loan guarantees and venture capital to those **entrepreneurs** with the best plans to develop and sell biofuels on a commercial market.

Second, it would let the private sector know that there will always be a market for renewable fuels by creating an alternative diesel standard in this country that would blend millions of more gallons of renewable fuels into the petroleum supply each year.

Third, it would help make sure that every single new car in America is a flexible-fuel vehicle within a decade. Currently it costs manufacturers just $100 to add these tanks to each car. But we can do them one better. If they install flexible-fuel tanks in their cars before the decade's up, we will provide them a $100 **tax credit** to do it - so there's no excuse for delay. And we'd also give consumers a bargain by offering a 35 cents tax credit for every gallon of E85 they use.

Fourth, this legislation calls for a Director of Energy Security to **oversee** all of our efforts. Like the Chairman of the Joint Chiefs and the National Intelligence Director, this person would be an advisor to the National Security Council and have the full authority to coordinate America's energy policy across all levels of government.

우선 이 법안은 바이오 연료를 상업 시장에서 개발하여 판매할 수 있는 가장 좋은 계획을 내놓는 기업가들에게 대출을 보증하고 벤처 자금을 제공함으로써 재활용이 가능한 연료 사업 투자의 위험성을 줄여 줄 것입니다.

★ ★ ★

둘째, 그것은 매년 석유 공급에 있어 수백만 갤런이나 더 많은, 재활용이 가능한 연료를 혼합해 줄 대안적인 디젤 기준을 우리나라에서 만들어 냄으로써, 민간 부문에게 재활용이 가능한 연료 시장이 언제나 존재할 것이라는 사실을 알려 줄 것입니다.

★ ★ ★

셋째, 그것은 10년 안에 미국에서 새로 만들어지는 모든 자동차가 호환성 연료를 사용하는 차라는 사실을 확실히 하는 데 도움을 줄 것입니다. 현재 자동차 제조사에서 모든 차량에 호환성 연료 탱크를 장착하는 데는 단돈 100달러밖에 들지 않습니다. 그러나 우리는 그들에게 더 나은 혜택 하나를 줄 수 있습니다. 만약 그들이 10년이 지나기 전에 모든 자동차에 호환성 연료 탱크를 장착한다면, 그 대가로 100달러의 세액 공제를 해 줄 것입니다. 그러면 그 일을 지체할 변명거리가 없을 것입니다. 그리고 소비자들에게는 E85를 사용하면 갤런당 35센트의 세액 공제를 실시하여 유류비를 절약할 수 있도록 할 것입니다.

★ ★ ★

넷째, 이 법안은 에너지 안정국의 국장이 우리의 모든 노력을 감독하게 할 것입니다. 합참의장이나 국가정보부 부장처럼, 에너지 안정국 국장을 맡게 되는 사람은 국가 안보 위원회의 고문이 될 것이며, 정부 차원의 모든 미국 에너지 정책을 조율할 수 있는 전적인 권한을 갖게 될 것입니다.

word tip!

entrepreneur 기업인 tax credit 세금 공제 oversee 감독하다

He or she would approve all major budget decisions and provide a full report to Congress and the country every year detailing the progress we're making toward energy independence.

Finally, while it's not in the bill, we should also make sure that every single automobile the government purchases is a flexible-fuel vehicle - starting today. When it becomes possible in the coming years, we should also make sure that every government car is the type of hybrid that you can plug-in to an **outlet** and **recharge**.

As the last few residents of Shishmaref pack up their homes and leave their tiny seaside village behind, I can't help but think that right now, history is testing our generation.

Will we let this happen all over the world? Will we stand by while drought and famine, storms and floods **overtake** our planet? Or will we look back at today and say that this was the moment when we **took a stand**? That this was the moment when we began to turn things around?

The climate changes we are experiencing are already causing us harm. But in the end, it will not be us who deal with its most devastating effects. It will be our children, and our grandchildren.

에너지 안정국의 국장은 모든 주요 예산 결정을 승인하고, 의회와 국가에 매년 우리가 에너지 의존의 탈피를 위해서 이룩한 성과에 대한 상세한 보고서를 제출할 것입니다.

★　★　★

끝으로, 법안 내용에 들어 있지는 않지만 우리는 또한 바로 오늘부터 정부가 구매하는 모든 차량이 호환성 연료 차량이 되도록 확실하게 해야 합니다. 또한 앞으로 가능하다면 모든 관용 차량이 플러그를 꽂아 전기를 충전할 수 있는 하이브리드 차량이 되도록 확실히 해야 합니다.

★　★　★

시스마레프 마을에 마지막까지 남아 있던 주민들이 짐을 꾸려 작은 바닷가 마을을 떠나게 될 때, 저는 바로 지금 역사가 우리 세대를 시험하고 있다는 생각을 금할 수 없습니다.

우리는 세계 도처에서 이런 일이 벌어지게 놓아 둘 것입니까? 우리는 가뭄과 기아, 폭풍과 홍수가 우리 지구를 집어삼키는 동안 그냥 서서 구경만 할 것입니까? 아니면 훗날 오늘을 돌이켜보며 이때가 바로 우리가 우리의 입장을 결정했던 순간이라고 말할 것입니까? 이때가 바로 우리가 모든 상황을 바꿔 놓은 순간이었다고 말할 것입니까?

★　★　★

우리가 지금 겪고 있는 기후 변화는 이미 우리에게 해를 끼치고 있습니다. 그러나 결국 가장 파괴적인 결과를 처리해야 할 사람들은 우리들이 아닙니다. 그들은 바로 우리의 자녀들, 우리의 손자 손녀들입니다.

I have two daughters, aged three and seven. And I can't help but think that they are the reason I wanted to make a difference in this country in the first place - to give them a better, more hopeful world to raise their children.

This is our generation's chance to give them that world. It's a chance that will not last much longer, but if we work together and seize this moment, we can change the course of this nation forever. I hope we can start today. Thank you.

제게는 세 살과 일곱 살배기 두 딸이 있습니다. 그리고 그들이 바로 제가 처음에 이 나라에 변화를 주고 싶었던 이유라고 생각할 수밖에 없습니다. 그 아이들에게 자신의 아이들을 키우기에 더 나은, 더 희망찬 세상을 주고 싶었던 이유라고 말입니다.

★　★　★

이번이 그 아이들에게 그런 세상을 물려줄 우리 세대의 기회입니다. 그것은 오래 갈기회가 아니겠지만, 우리가 함께 노력하여 이 순간을 최대한 활용한다면 우리는 이 나라의 앞날 또한 영원히 바꿔 놓을 수 있을 것입니다. 저는 오늘 우리가 바로 시작할 수 있기를 희망합니다. 감사합니다.

"Almost always,
the creative dedicated minority
has made the world better."

거의 언제나 (이상에)
헌신하는 창조적인 소수의 사람들이
보다 나은 세상을 만들었다.

Lincoln Memorial, Washington D.C. 28 August 1963

"I Have a Dream"

by Martin Luther King, Jr.

"나에게는 꿈이 있습니다!"

마틴 루터 킹(1929~1968년)은 미국 내 흑인 민권 운동을 이끌었고
활발한 인권 운동의 공로로 노벨평화상을 받았다.

1955년 로즈 파크라는 흑인여성이 버스에서 백인 남성에게 자리를
양보하지 않아 체포 당하는 사건이 벌어졌는데 이로 인해 루터 킹 목사를
필두로 하여 흑인들의 버스이용 보이콧이 시작되었고
이 운동은 381일 후 대법원이 대중교통 이용에서의 인종차별 행위는
위헌이라는 판결을 받을 때까지 계속됐다. 뒤를 이어 학교에서의
인종분리장벽 철폐 운동이 벌어졌고 1963년, 당시 흑인 분리의 기운이
여전히 유난한 지역이었던 버밍햄에서도 시민운동이 이어졌다.

1963년 8월, 25만 명의 흑인들이 수백만 유색인종의 권리를 주장하기
위해 워싱턴 DC에 모였다. 여기서 루터 킹 목사는
"I have a dream"이라는 명연설을 남긴다.
그는 이 연설에서 간결한 문체와 평이한 말, 많은 비유를 통해 인종을
초월한 모든 사람에게 강한 호소력과 동질감을 느끼게 했다.
이 연설 후 루터 킹의 계속된 활발한 활동은 우익을 자극하게 되었고
우익 세력은 그를 위험 인물로 규정하고 감시했으며
급기야 1968년 킹 목사는 극우파 총격에 암살되었다.

Lincoln Memorial, Washington D.C. 28 August 1963

"I Have a Dream"

by Martin Luther King, Jr.

I am happy to join with you today in what will go down in history as the greatest demonstration for freedom in the history of our nation.

Five **score** years ago, a great American, in whose symbolic shadow we stand today, signed **the Emancipation Proclamation**. This momentous decree came as a great beacon light of hope to millions of Negro slaves who had been **seared** in the flames of withering injustice. It came as a joyous daybreak to end the long night of their **captivity**.

But one hundred years later, the Negro still is not free. One hundred years later, the life of the Negro is still sadly **crippled** by the **manacles** of segregation and the chains of discrimination. One hundred years later, the Negro lives on a lonely island of poverty in the midst of a vast ocean of material prosperity. One hundred years later, the Negro is still **languished** in the corners of American society and finds himself an **exile** in his own land. And so we've come here today to dramatize a shameful condition.

In a sense we've come to our nation's capital to **cash a check**. When the architects of our republic wrote the magnificent words of the Constitution and the Declaration of Independence, they were signing a **promissory note** to which every American was to **fall heir**.

링컨 기념관, 워싱턴 D.C. 1963년 8월 28일

나에겐 꿈이 있습니다

마틴 루터 킹

MP3 track 12.   http://www.youtube.com/watch?v=PbUtL_0vAJk

나는 오늘 우리나라 역사상 자유를 위한 가장 위대한 행진으로 역사에 길이 남게 될 이 자리에 여러분과 함께하게 된 것을 기쁘게 생각합니다.

100년 전, 지금 우리 위에 그림자를 드리우고 있는 저 동상의 주인공 에이브러햄 링컨이 노예 해방 선언서에 서명했습니다. 노예 해방 선언은 사그라지는 불의의 불꽃 속에서 고통받아 온 수백만 흑인 노예들에겐 희망의 등댓불이었으며, 기나긴 속박의 밤을 걷어내는 찬란한 기쁨의 새벽이었습니다.

★　★　★

그로부터 100년의 세월이 흘렀지만, 흑인들은 자유를 누리지 못하고 있습니다. 100년의 세월이 흘렀지만, 흑인들은 차별의 족쇄를 찬 채 절름거리고 있습니다. 100년의 세월이 흘렀지만, 흑인들은 물질적 풍요의 바다에서 가난의 섬 안에 고립되어 살고 있습니다. 100년의 세월이 흘렀지만, 흑인들은 미국 사회의 구석진 곳에서 고통당하며 망명객처럼 부자유스런 생활을 하고 있습니다. 오늘 우리는 치욕스런 상황을 극적으로 전환하기 위해서 이곳에 모였습니다.

우리는 명목뿐인 수표를 현금으로 바꾸기 위해서 수도 워싱턴에 모였습니다. 미국의 건국에 참여한 사람들이 서명한 헌법과 독립선언서의 화려한 문구들은 약속 어음에 비유할 수 있습니다.

word tip!

score 스물 the Emancipation Proclamation 노예 해방 선언 sear 시들게 하다 captivity 포로 기간
cripple 불구로 만들다 manacle 족쇄 languish 쇠약해지다 exile 망명자 cash a check 수표를 현금으로 바꾸다 promissory note 약속 어음 fall heir to ~을 상속하다

This note was a promise that all men, yes, black men as well as white men, would be guaranteed the "unalienable Rights" of "Life, Liberty and the pursuit of Happiness."

It is obvious today that America has **defaulted on** this promissory note, **insofar as** her citizens of color are concerned. Instead of honoring this sacred obligation, America has given the Negro people a **bad check**, a check which has come back marked "insufficient funds."

But we refuse to believe that the bank of justice is bankrupt. We refuse to believe that there are insufficient funds in the great vaults of opportunity of this nation. And so, we've come to cash this check, a check that will give us **upon demand** the riches of freedom and the security of justice.

We have also come to this hallowed spot to remind America of the fierce urgency of Now. This is no time to engage in the luxury of **cooling off** or to take the **tranquilizing drug** of gradualism. Now is the time to make real the promises of democracy. Now is the time to rise from the dark and desolate valley of segregation to the sunlit path of racial justice. Now is the time to lift our nation from the **quicksands** of racial injustice to the solid rock of brotherhood.

Now is the time to make justice a reality for all of God's children. It would be fatal for the nation to overlook the urgency of the moment. This **sweltering** summer of the Negro's legitimate discontent will not pass until there is an **invigorating** autumn of freedom and equality. Nineteen sixty-three is not an end, but a beginning.

이들은 흑인, 백인을 가리지 않고 모든 사람들에게는 양도할 수 없는 '생명권, 자유권, 행복 추구권'이 있다는 내용의 약속 어음에 서명을 했습니다.

미국은 흑인 시민에 대해서 이 약속을 제대로 이행하지 않고 있습니다. 미국은 흑인들에게 이 신성한 약속 어음에 명시된 현금을 지급하지 않고 '예금 잔고 부족'이라는 표시가 찍힌 부도 수표를 되돌려 주고 있습니다.

★ ★ ★

하지만 정의라는 이름의 은행은 결코 파산하지 않을 것입니다. 미국이 가지고 있는 기회라는 이름의 거대한 금고 속에 충분한 잔고가 남아 있을 것입니다. 우리는 이 약속 어음이 명시하는 자유와 정의를 되돌려 받기 위해서 이곳에 모였습니다.

우리는 미국에게 현재 사태가 긴급함을 인식시키기 위해서 이 신성한 장소에 모였습니다. 지금은 호사스럽게 냉각 기간을 가지거나 점진주의의 진통제를 먹고 앉아 있을 때가 아닙니다. 우리는 지금 당장 민주주의의 약속을 실현해야 합니다. 우리는 지금 당장 흑백 차별의 어둡고 황폐한 계곡에서 벗어나서 인종적 정의의 양지 바른 길로 걸어 나가야 합니다. 우리는 지금 당장 미국을 위태로운 인종 차별의 모래밭에서 건져내서 동포애라는 단단한 반석 위에 올려놓아야 합니다.

우리는 지금 당장 주님의 어린 양들을 위해 정의를 실현해야 합니다. 미국이 현재 사태의 긴급성을 인식하지 못한다면, 그것은 아주 치명적인 일이 될 것입니다. 자유와 정의의 상쾌한 가을이 찾아올 때까지 흑인들의 정당한 불만이 지글지글 끓어오르는 여름은 결코 물러가지 않을 것입니다. 1963년은 끝이 아니라 시작입니다.

word tip!

default on ~의 채무를 불이행하다 insofar as ~에 관한 한 bad check 부도 수표 upon demand 요구하는 대로 cooling off 냉각 tranquilizing drug 안정제 quicksand 유사 sweltering 무더운 invigorating 기운찬

And those who hope that the Negro needed to **blow off steam** and will now be content will have a rude **awakening** if the nation returns to business as usual. And there will be neither rest nor tranquility in America until the Negro is granted his citizenship rights. The **whirlwinds** of revolt will continue to shake the foundations of our nation until the bright day of justice emerges.

But there is something that I must say to my people, who stand on the warm **threshold** which leads into the palace of justice: In the process of gaining our rightful place, we must not be guilty of wrongful deeds. Let us not seek to satisfy our thirst for freedom by drinking from the cup of bitterness and hatred. We must forever conduct our struggle on the high **plane** of dignity and discipline. We must not allow our creative protest to degenerate into physical violence.

Again and again, we must rise to the **majestic** heights of meeting physical force with soul force.

The marvelous new **militancy** which has **engulfed** the Negro community must not lead us to a distrust of all white people, for many of our white brothers, as evidenced by their presence here today, have come to realize that their destiny is tied up with our destiny. And they have come to realize that their freedom is inextricably bound to our freedom.

We cannot walk alone.

And as we walk, we must make the pledge that we shall always march ahead.

We cannot turn back.

미국이 사태의 긴급성을 인식하지 못하고 평상시처럼 행동한다면, 흑인들이 분노를 극복하고 행복하게 살기 바라는 사람들은 대단히 불쾌할 것입니다. 흑인들의 시민권을 보장하지 않는 한 미국은 평화로울 수 없습니다. 정의의 새벽이 밝아 오는 그날까지 폭동의 소용돌이가 계속되어 미국의 토대를 뒤흔들 것입니다.

★ ★ ★

정의의 궁전에 이르는 문턱에 서 있는 여러분께 이 점을 말씀드리고 싶습니다. 정당한 자리를 되찾으려는 우리의 행동은 결코 나쁜 것이 아님을 명심하도록 하십시오. 자유에 대한 갈증을 증오와 원한으로 채우려고 하지 맙시다. 위엄 있고 규율 잡힌 태도로 투쟁해야 합니다. 우리는 창조적인 항의 운동을 물리적 폭력으로 타락시켜서는 안 됩니다.

거듭해서 당부하지만, 우리는 물리적 힘에 대하여 영혼의 힘으로 대처하는 당당한 태도를 가져야 합니다.

흑인 사회를 지배하는 새로운 투쟁성에 이끌려 백인들을 불신해서는 안 됩니다. 오늘 이 자리에 참가한 많은 백인들을 보면 알 수 있듯이, 백인 형제들 중에는 백인과 흑인이 운명 공동체라는 사실을 인식하는 사람들이 많습니다. 이 백인들은 자신들의 자유는 우리들의 자유와 단단히 얽혀 있음을 인식한 사람들입니다.

우리는 혼자 걸어갈 수 없습니다.

우리는 언제나 앞장서서 행진해야 합니다.

결코 뒷걸음질해서는 안 됩니다.

---

word tip!

blow off steam 울분을 토하다 awakening 자각 whirlwind 회오리바람, 소용돌이 threshold 문턱, 시발점 plane 수준 majestic 위엄 있는 militancy 투쟁성 engulf 뒤덮다

There are those who are asking the devotees of civil rights, "When will you be satisfied?" We can never be satisfied as long as the Negro is the victim of the unspeakable horrors of police brutality. We can never be satisfied as long as our bodies, heavy with the fatigue of travel, cannot gain lodging in the motels of the highways and the hotels of the cities. We cannot be satisfied as long as the negro's basic mobility is from a smaller ghetto to a larger one. We can never be satisfied as long as our children are stripped of their self-hood and robbed of their dignity by a sign stating: "For Whites Only." We cannot be satisfied as long as a Negro in Mississippi cannot vote and a Negro in New York believes he has nothing for which to vote. No, no, we are not satisfied, and we will not be satisfied until "justice rolls down like waters, and righteousness like a mighty stream."

I am not unmindful that some of you have come here out of great trials and tribulations. Some of you have come fresh from narrow jail cells. And some of you have come from areas where your quest -- quest for freedom left you battered by the storms of persecution and staggered by the winds of police brutality. You have been the veterans of creative suffering. Continue to work with the faith that unearned suffering is redemptive.

Go back to Mississippi, go back to Alabama, go back to South Carolina, go back to Georgia, go back to Louisiana, go back to the slums and ghettos of our northern cities, knowing that somehow this situation can and will be changed.

헌신적인 시민권 활동가들에게 "당신들은 도대체 언제 만족할 거요?"라고 묻는 사람들이 있습니다. 흑인에 대한 경찰들의 야만적인 폭력이 없어지지 않는 한 우리는 결코 만족할 수 없습니다. 여행으로 지친 우리의 몸을 여러 도시의 호텔과 모텔에 누일 수 없는 한 우리는 결코 만족할 수 없습니다. 흑인들이 작은 빈민가에서 큰 빈민가로 이주할 자유밖에 누릴 수 없는 한 우리는 결코 만족할 수 없습니다. '백인 전용'이라는 표지판 앞에서 우리 아이들의 자존심과 인간적 존엄성이 짓뭉개지는 한 우리는 결코 만족할 수 없습니다.

미시시피에 사는 흑인이 투표를 할 수 없고 뉴욕에 사는 흑인이 투표할 대상을 갖지 못하는 한 우리는 결코 만족할 수 없습니다. 아니, 아니, 우리는 만족하지 않습니다. 정의가 물처럼 흐르고 의로움이 급류처럼 흐를 때까지 우린 만족하지 않을 것입니다.

여러분 중에 큰 시련을 겪고 있는 사람들이 있을 것입니다. 여러분 중에는 좁디좁은 감방에서 방금 나온 사람도 있을 것입니다. 여러분 중에는 자유를 달라고 외치면 갖은 박해를 당하고 경찰의 가혹한 폭력에 시달려야 하는 지역에서 오신 분들도 있을 것입니다. 여러분은 창조적인 고통에 익숙한 분들입니다. 아무 잘못도 하지 않고 받는 고통은 반드시 보상을 받을 것이라는 신념을 가지고 계속 활동합시다.

★ ★ ★

미시시피로 돌아갈 때, 앨라배마, 사우스캐롤라이나, 조지아, 루이지애나로 돌아갈 때, 그리고 북부 여러 도시의 빈민가로 돌아갈 때, 언젠가는 이런 상황은 변화될 것이라는 확신을 가지고 돌아갑시다.

word tip!

lodging 숙박 mobility 이동 ghetto (흑인의) 빈민가 self-hood 자아 tribulation 시련 batter 난타당하다
stagger 비틀거리게 하다 redemptive 구제하는, 보상하는

Let us not **wallow** in the valley of despair, I say to you today, my friends. And so even though we face the difficulties of today and tomorrow, I still have a dream. It is a dream deeply rooted in the American dream.

I have a dream that one day this nation will rise up and **live out** the true meaning of its creed: "We hold these truths to be self-evident, that all men are created equal."

I have a dream that one day on the red hills of Georgia, the sons of former slaves and the sons of former slave owners will be able to sit down together at the table of brotherhood.

I have a dream that one day even the state of Mississippi, a state sweltering with the heat of injustice, sweltering with the heat of oppression, will be transformed into an oasis of freedom and justice.

I have a dream that my four little children will one day live in a nation where they will not be judged by the color of their skin but by the content of their character.

I have a dream today!

I have a dream that one day, down in Alabama, with its vicious racists, with its governor having his lips **dripping with** the words of "**interposition**" and "**nullification**" -- one day right there in Alabama little black boys and black girls will be able to join hands with little white boys and white girls as sisters and brothers.

□

절망의 구렁텅이에 빠져서는 안 됩니다. 친애하는 여러분께 오늘 이 말씀을 드리고 싶습니다. 우리는 지금 비록 역경에 시달리고 있지만, 나에게는 꿈이 있습니다. 나의 꿈은 아메리칸드림에 깊이 뿌리내리고 있는 꿈입니다.

★　★　★

나에게는 꿈이 있습니다. 언젠가 이 나라에서 모든 인간은 평등하게 창조되었다는 자명한 진실이 받아들여지고, 그 진정한 의미가 신념으로 실현되는 날이 오리라는 꿈입니다.

나에게는 꿈이 있습니다. 조지아 주의 붉은 언덕에서 노예의 후손들과 노예 주인의 후손들이 형제처럼 손을 맞잡고 나란히 앉게 되는 꿈입니다.

나에게는 꿈이 있습니다. 이글거리는 불의와 억압이 존재하는 미시시피 주가 자유와 정의의 오아시스가 되는 꿈입니다.

나에게는 꿈이 있습니다. 내 아이들이 피부색을 기준으로 사람을 평가하지 않고 인격을 기준으로 사람을 평가하는 나라에서 살게 되는 꿈입니다.

★　★　★

지금 나에게는 꿈이 있습니다!

나에게는 꿈이 있습니다. 지금은 지독한 인종 차별주의자들과 주지사가 간섭이니 무효니 하는 말을 떠벌리고 있는 앨라배마 주에서, 흑인 어린이들이 백인 어린이들과 형제자매처럼 손을 마주 잡을 수 있는 날이 올 것이라는 꿈입니다.

word tip!

wallow 몸부림치다 live out 현실화하다 drip with ~로 넘치다 interposition 주 우위설(주 정부의 권리가 연방 정부의 권리에 우선한다는) nullification 주의 연방 법령 실시 거부

I have a dream today!

I have a dream that one day every valley shall be **exalted**, and every hill and mountain shall be made low, the rough places will be made plain, and the crooked places will be made straight; "and the glory of the Lord shall be revealed and **all flesh** shall see it together."

This is our hope, and this is the faith that I go back to the South with.

With this faith, we will be able to **hew** out of the mountain of despair a stone of hope. With this faith, we will be able to transform the **jangling** discords of our nation into a beautiful symphony of brotherhood.

With this faith, we will be able to work together, to pray together, to struggle together, to go to jail together, to stand up for freedom together, knowing that we will be free one day.

And this will be the day -- this will be the day when all of God's children will be able to sing with new meaning:

My country 'tis of thee, sweet land of liberty, of thee I sing.

Land where my fathers died, land of the Pilgrim's pride,

From every mountainside, let freedom ring!

And if America is to be a great nation, this must become true.

지금 나에게는 꿈이 있습니다!

골짜기마다 돋우어지고 산마다, 작은 산마다 낮아지며 고르지 않은 곳이 평탄케 되며 험한 곳이 평지가 될 것이요, 주님의 영광이 나타나고 모든 인류가 그것을 함께 보게 될 날이 있을 것이라는 꿈입니다.

★ ★ ★

이것은 우리 모두의 희망입니다. 저는 이런 희망을 가지고 남부로 돌아갈 것입니다.

이런 희망이 있다면 우리는 절망의 산을 토막 내어 희망의 이정표를 만들 수 있습니다. 이런 희망이 있다면 우리는 나라 안에서 들리는 시끄러운 불협화음을 아름다운 형제애의 교향곡으로 바꿀 수 있습니다.

이런 희망이 있다면, 언젠가는 자유를 얻을 수 있다는 확신이 있다면, 우리는 함께 행동하고 함께 기도하고 함께 투쟁하고 함께 감옥에 가고 함께 자유를 위해서 싸울 수 있습니다.

★ ★ ★

내 꿈이 실현되는 날이 반드시 올 것입니다. 주님의 모든 자녀들이 이 구절을 새로운 의미로 암송할 수 있게 될 날이 올 것입니다. "나의 조국은 아름다운 자유의 땅, 나는 조국을 노래 부르네. 나의 선조들이 묻힌 땅, 메이플라워호를 타고 온 선조들의 자부심이 깃들어 있는 땅, 모든 산허리에서 자유의 노래가 울리게 하라!" 미국이 위대한 국가가 되려면 우리의 꿈은 반드시 실현되어야 합니다.

word tip!

exalt 높이다 all flesh 인류 hew 캐내다 jangling 요란한

And so let freedom ring from the **prodigious** hilltops of New Hampshire.

Let freedom ring from the mighty mountains of New York.

Let freedom ring from the heightening **Alleghenies** of Pennsylvania.

Let freedom ring from the snow-capped Rockies of Colorado.

Let freedom ring from the **curvaceous** slopes of California.

But not only that:

Let freedom ring from Stone Mountain of Georgia.

Let freedom ring from Lookout Mountain of Tennessee.

Let freedom ring from every hill and **molehill** of Mississippi.

From every mountainside, let freedom ring.

And when this happens, when we allow freedom ring, when we let it ring from every village and every **hamlet**, from every state and every city, we will be able to speed up that day when all of God's children, black men and white men, Jews and **Gentiles**, Protestants and Catholics, will be able to join hands and sing in the words of the old Negro spiritual:

Free at last! Free at last!

Thank God Almighty, we are free at last!

뉴햄프셔의 높은 산꼭대기에서 자유의 노래가 울리게 합시다.

뉴욕의 거대한 산에서 자유의 노래가 울리게 합시다.

펜실베이니아의 웅장한 앨러게이니 산맥에서 자유의 노래가 울리게 합시다.

콜로라도의 눈 덮인 로키 산맥에서 자유의 노래가 울리게 합시다.

캘리포니아의 구불구불한 산비탈에서 자유의 노래가 울리게 합시다.

조지아의 스톤 산에서 자유의 노래가 울리게 합시다.

테네시의 룩아웃 산에서 자유의 노래가 울리게 합시다.

미시시피의 수많은 언덕과 둔덕들에서 자유의 노래가 울리게 합시다.

전국의 모든 산허리에서 자유의 노래가 울리게 합시다.

★　★　★

이렇게 된다면, 모든 주, 모든 시, 모든 마을에서 자유의 노래가 울린다면, 흑인과 백인, 유태교도와 기독교도, 신교도와 구교도를 가리지 않고 모든 주님의 자녀들이 손에 손을 잡고 오래 된 흑인 영가를 함께 부르게 될 그날을 앞당길 수 있을 것입니다.

"마침내 자유를 얻었네. 마침내 자유를 얻었네.

전능하신 주님의 은혜로, 마침내 우리는 자유를 얻었네."

***이 연설은 미국 전역에 생중계되었다. 이날, 놀랄 만큼 정숙한 태도로 연설에 귀 기울이면서도 몹시 고무된 청중들의 태도에 따라, 킹 목사는 전날까지 애써 준비해 두었던 연설문 대신, 그가 예전에 즐겨 하던 '나에게는 꿈이 있습니다'라는 이 연설을 하였다고 한다.

word tip!

prodigious 거대한　Alleghenies 앨러게니 산맥　curvaceous 굽은　molehill 두더지가 판 흙언덕, 둔덕
hamlet 작은 마을　Gentile 이교도(유대인에게)

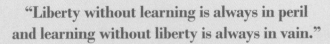

"Liberty without learning is always in peril
and learning without liberty is always in vain."

배움이 없는 자유는 언제나 위험하며
자유가 없는 배움은 언제나 헛된 일이다.

January 20, 1961

"Ask Not What Your Country Can Do For You"

by John F. Kennedy

"조국이 당신에게 무엇을 해줄 것인가를 묻지 마라!"

오바마는 검은 케네디라고 불릴 정도로 자신이 존경하는 케네디를 벤치마킹하는 데 적극적이었다. '변화(Change)'라는 슬로건도 케네디가 주창했던 '뉴 프런티어(New frontier)'의 연장선상에 있는 것이며 대규모 옥외 군중집회를 선호했다는 점도 그렇다.

그러나 대통령 취임 연설문에서 오바마는 케네디와는 달리 겸손한 자세로 감성에 호소했다. 케네디가 취임했던 1961년은 동서냉전이 한창이었던 시절로 공산주의와의 전쟁이라는 공포가 미국 사람들에게 만연해 있었다. 여기에서 미국 사람들은 국가가 무엇을 해주기를 기대했지만 케네디는 오히려 역설적으로 그들에게 물었다.

그는 "조국이 당신을 위해 무엇을 해줄 것인가를 묻지 말고 당신이 조국을 위해 무엇을 할 수 있는가를 물어라"는 명문장을 남겼고, 또 "friends and foes alike(우방과 적국에게 다같이)" 라는 말 속에는 이미 냉전 종식을 미리 예측한 듯한 여운을 남기기도 했다.

January 20, 1961

"Ask Not What Your Country Can Do For You"

by John F. Kennedy

Vice President Johnson, Mr. Speaker, Mr. Chief Justice, President Eisenhower, Vice President Nixon, President Truman, **reverend** clergy, fellow citizens, we observe today not a victory of party, but a celebration of freedom - symbolizing an end, as well as a beginning - signifying renewal, as well as change. For I have sworn before you and Almighty God the same solemn oath our **forebears** prescribed nearly a century and three quarters ago.

The world is very different now. For man holds in his mortal hands the power to abolish all forms of human poverty and all forms of human life. And yet the same revolutionary beliefs for which our forebears fought are still **at issue** around the globe - the belief that the rights of man come not from the generosity of the state, but from the hand of God.

We dare not forget today that we are the heirs of that first revolution. Let the word go forth from this time and place, to friend and **foe** alike, that the torch has been passed to a new generation of Americans - born in this century, **tempered** by war, disciplined by a hard and bitter peace, proud of our ancient heritage - and unwilling to witness or permit the slow undoing of those human rights to which this Nation has always been committed, and to which we are committed today at home and around the world.

국가가 당신을 위해서 무엇을 할 수 있는지 묻지 마십시오

존 F. 케네디

MP3 track 13.   http://www.youtube.com/watch?v=BLmiOEk59n8

오늘 우리는 한 정당의 승리를 지켜보고 있는 것이 아닙니다. 우리는 지금 자유, 다시 말해 출발점인 동시에 목적지이기도 하며 또한 변화와 재생을 동시에 의미하는 자유의 경축을 지켜보고 있는 것입니다. 왜냐하면 바로 조금 전에 본인은 여러분과 전능하신 신 앞에서 우리 조상들이 약 175년 전에 마련해 놓은 그 성스러운 선서문에 대한 서약을 끝냈기 때문입니다.

★　★　★

지금 세계는 아주 달라졌습니다. 왜냐하면 우리 인간은 어떠한 형태의 빈곤도 어떠한 형태의 삶도 없애 버릴 수 있는 힘을 갖게 되었기 때문입니다. 그러면서도 과거에 우리 조상들이 쟁취하려고 했던 바로 그 혁명의 신조들, 다시 말해 인간의 권리는 국가의 관대함에서 비롯된 것이 아니라 신의 손길에서 비롯된다는 신조는 아직도 세계 도처에서 이슈가 되고 있습니다.

★　★　★

오늘 우리는 우리 자신이 바로 그 최초의 혁명의 계승자라는 사실을 잊어서는 안 되겠습니다. 그 혁명의 횃불이 이제 새로운 세대의 미국인들, 즉 20세기에 태어나서 전쟁으로 단련되고, 힘들고 쓰라린 평화로 훈육되고, 우리 조상의 유산을 자랑스러워하는 미국인들에게 전달되었다는 사실과 더불어, 이 나라가 항상 약속해 왔고, 오늘 우리가 국내와 세계만방에 맹세하는 바로 그 인권이 서서히 유린되는 것을 좌시하거나 허용하지 않으리라는 사실을 바로 이 시각 이 장소에서 친구와 적 모두에게 알려 줍시다.

word tip!

reverend 님(성직자에 대한 경칭) forebear 선조 at issue 문제가 되고 있는 foe 적 temper 단련하다

Let every nation know, whether it wishes us well or ill, that we shall pay any price, bear any burden, meet any hardship, support any friend, oppose any foe, in order to assure the survival and the success of liberty.

This much we pledge - and more.

To those old allies whose cultural and spiritual origins we share, we pledge the loyalty of faithful friends. United, there is little we cannot do in **a host of** cooperative ventures. Divided, there is little we can do - for we dare not meet a powerful challenge **at odds** and split **asunder**.

To those new States whom we welcome to the ranks of the free, we pledge our word that one form of colonial control shall not have passed away merely to be replaced by a far more iron tyranny. We shall not always expect to find them supporting our view. But we shall always hope to find them strongly supporting their own freedom - and to remember that, in the past, those who foolishly sought power by riding the back of the tiger ended up inside. To those peoples in the huts and villages across the globe struggling to break the **bonds** of mass misery, we pledge our best efforts to help them help themselves, for whatever period is required - not because the Communists may be doing it, not because we seek their votes, but because it is right.

우리가 잘되기를 바라는 나라나 우리가 못되길 바라는 나라 모두에 대해 우리는 자유를 확실히 존속시키고 성공시키기 위해 어떤 희생도 달게 받고, 어떤 짐도 짊어지고, 어떤 어려움과도 맞서며, 어떤 친구라도 돕고, 어떤 적들과도 싸울 것임을 모든 나라들에게 알리고자 합니다.

★　★　★

우리는 다음과 같은 것을 약속할 수 있습니다. 아니 그보다도 더 많은 것을 약속할 수 있습니다.

첫째로 우리와 동일한 문화적 · 정신적 기원을 갖고 있는 오랜 우방국들에 대해 우리는 충실한 우방으로서 충성을 다할 것을 맹세합니다. 우리가 단결만 한다면 수많은 협동 사업을 통해 이루지 못할 일이 거의 없을 것입니다. 우리의 의견이 서로 틀리고 흩어져서는 거대한 도전에 대처할 수 없기 때문입니다.

다음으로 우리와 같은 자유 국가의 대열에 새로이 끼여 들게 된 신생국들에 대해 다음과 같이 약속합니다. 즉, 우리는 한 형태의 식민지 통치가 끝난다는 것이 그보다 훨씬 더 가혹한 목적으로 바뀐다는 것을 의미하게 되지 않도록 노력할 것을 약속합니다. 우리는 신생국들이 언제나 우리의 입장을 지지해 주기를 기대하지는 않겠습니다. 우리는 그들이 항상 자신의 자유를 힘차게 지탱해 나가기를 바랄 뿐입니다. 그리고 과거에 어리석게도 호랑이 잔등을 타고 권력을 잡으려 했던 자들이 결국 호랑이에게 잡아먹히고 말았다는 사실을 기억해 주기를 바랄 뿐입니다. 다음으로 전 세계의 절반에 이르는 광대한 지역의 오두막과 극심한 빈곤의 사슬로부터 벗어나기 위해 허덕이고 있는 가난한 사람들에게 우리는 다음과 같이 약속합니다. 즉, 아무리 시간이 걸리더라도 그들의 자조(自助) 활동을 돕기 위해 최선을 다할 것입니다. 우리가 그렇게 하는 것은 공산주의자들이 그 일을 할 것이라는 두려움 때문이 아닙니다. 그리고 또한 그들의 지지표를 얻기 위한 것도 아닙니다. 우리가 그렇게 하는 것은 단지 그 일이 옳기 때문입니다.

word tip!

a host of 다수의　at odds 다투는　asunder 산산조각 나　bond 유대

If a free society cannot help the many who are poor, it cannot save the few who are rich.

To our sister republics south of our border, we offer a special pledge - to convert our good words into good deeds - in a new alliance for progress - to assist free men and free governments in casting off the chains of poverty. But this peaceful revolution of hope cannot become the prey of hostile powers. Let all our neighbours know that we shall join with them to oppose aggression or subversion anywhere in the Americas. And let every other power know that this Hemisphere intends to remain the master of its own house.

To that world assembly of sovereign states, the United Nations, our last best hope in an age where the instruments of war have far outpaced the instruments of peace, we renew our pledge of support - to prevent it from becoming merely a forum for invective - to strengthen its shield of the new and the weak - and to enlarge the area in which its writ may run.

Finally, to those nations who would make themselves our adversary, we offer not a pledge but a request: that both sides begin anew the quest for peace, before the dark powers of destruction unleashed by science engulf all humanity in planned or accidental self-destruction.

만일 자유 사회가 가난한 다수를 도울 수 없다면, 그것은 부유한 소수도 구출할 수 없을 것이기 때문입니다.

남쪽의 중남미 형제국들에 대해 우리의 진보를 위한 새로운 동맹을 맺어 우리의 좋은 말을 좋은 행동으로 옮길 것을 약속합니다. 다시 말해 우리는 자유민과 자유 정부가 빈곤의 사슬을 벗어 버리는 것을 돕겠다는 것을 특별히 서약합니다. 우리는 모든 우방과 힘을 합쳐 아메리카 대륙 어느 곳에서든지 침략과 전복 활동에 대항할 것임을 적국들에게 알려야 합니다. 그리고 우리 서반구는 이 지역의 주인으로 남아 있을 것임을 다른 모든 나라에 알리고자 합니다.

★ ★ ★

다음으로 세계 주권 국가들의 연합체인 국제 연합에 대해 우리는 다음과 같은 약속을 하고자 합니다. 우리는 지금 전쟁의 수단이 평화의 수단을 훨씬 더 앞지르고 있는 시대의 마지막 희망으로 남아 있는 국제 연합이 단순한 말싸움의 장소가 되지 않도록 돕겠다는 것을 다시 한 번 약속하는 바입니다. 그리고 그것이 신생국과 약소국을 보호하는 방패의 역할을 더욱더 강화하도록, 그리고 국제 연합 헌장의 영향력이 미치는 영역을 한층 넓히도록 지원하겠다는 것을 새삼 약속하는 바입니다.

★ ★ ★

마지막으로 우리의 적들에 대해 우리는 약속이 아닌 요구를 하고자 하는 바입니다. 과학이 가져온 무서운 파괴력이 계획적인 또는 우발적인 자기 파괴 행위로 인간다운 모든 것을 말살시키지 않도록 하기 위해 두 진영이 다시 평화를 추구할 것을 제의하는 바입니다.

word tip!

cast off 내쫓다 subversion 전복 outpace 앞지르다 invective 비난 one's writ runs (누군가) 권한을 가지다 unleash 풀다

We dare not tempt them with weakness. For only when our arms are sufficient **beyond doubt** can we be certain beyond doubt that they will never be **employed**.

But neither can two great and powerful groups of nations **take comfort** from our present course - both sides overburdened by the cost of modern weapons, both rightly alarmed by the steady spread of the deadly atom, yet both racing to alter that uncertain balance of terror that stays the hand of mankind's final war.

So let us begin anew - remembering on both sides that **civility** is not a sign of weakness, and sincerity is always **subject to** proof.

Let us never negotiate out of fear. But let us never fear to negotiate.

Let both sides explore what problems unite us instead of **belabouring** those problems which divide us.

Let both sides, for the first time, formulate serious and precise proposals for the inspection and control of arms - and bring the absolute power to destroy other nations under the absolute control of all nations.

Let both sides seek to **invoke** the wonders of science instead of its terrors. Together let us explore the stars, conquer the deserts, eradicate disease, **tap** the ocean depths, and encourage the arts and commerce.

Let both sides unite to **heed** in all corners of the earth the command of Isaiah - to "undo the heavy burdens -. and to let the oppressed go free."

우리가 허약해서 적들이 침략하고 싶은 유혹을 느끼게 해서는 안 됩니다. 왜냐하면 우리의 무력이 충분할 때에만 무력이 사용되지 않는다는 것을 우리는 굳게 믿고 있기 때문입니다.

★ ★ ★

그러나 두 개의 거대하고 강력한 국가 집단 가운데서 어느 한 진영도 지금 정세의 방향에 대해서는 마음을 놓을 수 없습니다. 두 진영은 모두 군사비 지출로 지나치게 무거운 짐을 지고 있고, 또한 무서운 원자 무기의 계속적인 확산에 다 같이 놀라움을 느끼고 있습니다. 그러면서도 인류의 마지막 전쟁의 손을 억제하고 있는 불확실한 공포의 균형을 자기 진영에 유리하게 바꾸려고 경쟁하고 있는 것입니다.

그러므로 우리 두 진영은 점잖은 행동이 허약함의 표시가 아니라는 것을, 그리고 성실은 항상 구체적인 성과로 나타나게 마련이라는 사실을 되새기면서 다시 시작해 봅시다.

두려워서 협상을 못 하는 일이 결코 있어서는 안 될 것입니다. 협상하기를 두려워하지 맙시다.

우리 두 진영은 우리를 분열시키는 문제들로 싸우는 대신 우리를 통합할 문제를 연구합시다.

우리 두 진영은 최초로 무기 조사와 통제에 관한 진지하고 정확한 제안을 구상합시다. 그리고 파괴적인 절대권력을 모든 나라에 의한 절대적 통제하에 둡시다.

우리 두 진영은 과학의 공포 대신 과학의 놀라운 성과를 끌어낼 수 있도록 노력합시다.

우리는 마음을 합쳐 천체를 탐험하고, 사막을 정복하고, 질병을 퇴치하고, 바다 밑바닥을 개발하고, 예술과 통상을 진흥시킵시다.

우리 두 진영은 모두 지구상의 어느 곳에서든지 "무거운 짐을 벗고…… 억눌린 자를 해방시키라"고 한 구약성서 가운데 이사야서의 말씀을 실천하도록 명심합시다.

word tip!

beyond doubt 의문의 여지없이 employ 사용하다 take comfort 위안을 얻다 civility 예의 subject to ~을 조건으로 한 belabor 논하다 invoke 불러내다 tap 이용하다 heed ~에 귀를 기울이다

And if a **beachhead** of cooperation may push back the jungle of suspicion, let both sides join in creating a new endeavour, not a new balance of power, but a new world of law, where the strong are just and the weak secure and the peace preserved.

All this will not be finished in the first 100 days. Nor will it be finished in the first 1,000 days, nor in the life of this Administration, nor even perhaps in our lifetime on this planet. But let us begin.

In your hands, my fellow citizens, more than in mine, will rest the final success or failure of our course. Since this country was founded, each generation of Americans has been summoned to give testimony to its national loyalty. The graves of young Americans who answered the call to service surround the globe.

Now the trumpet summons us again - not as a call to bear arms, though arms we need; not as a call to battle, though **embattled** we are - but a call to bear the burden of a long twilight struggle, year in and year out, "rejoicing in hope, patient in tribulation" - a struggle against the common enemies of man: tyranny, poverty, disease, and war itself.

Can we forge against these enemies a grand and global alliance, North and South, East and West, that can assure a more fruitful life for all mankind? Will you join in that historic effort?

그리고 협조의 교두보가 마련되고 의심의 깊은 숲을 치워 버릴 수 있게 된다면, 두 진영은 힘을 모아 새로운 노력을 전개합시다. 새로운 힘의 균형을 창조하는 것이 아니라 강자는 정의롭게, 약자는 안전하게 되고, 평화가 유지되는 법이 지배하는 새로운 세계를 창조합시다.

이 모든 일은 100일 정도의 짧은 시간으로는 이룰 수 없습니다. 1000일 안에도 이룰 수 없습니다. 이 행정부의 임기 중에는 물론, 아니 이 지구상에서 우리의 생애 안에도 이뤄지지 않을 것입니다. 그러나 일단 시작은 해 봅시다.

친애하는 동료 시민 여러분, 우리 노선이 궁극적으로 성공하느냐 성공하지 못하느냐 하는 것은 본인보다 여러분에게 달려 있습니다. 이 나라가 세워진 이래 모든 세대의 미국인들에게는 국가에 대한 충성을 실제로 보여 줄 의무가 주어져 왔습니다. 그래서 이러한 국가의 부름에 부응하다가 죽은 미국 청년들의 무덤이 세계 도처에 흩어져 있는 것입니다.

★ ★ ★

그런데 이제 그 나팔 소리가 다시 우리를 부르고 있습니다. 우리에게 무기가 필요한 것은 사실입니다. 그렇지만 그것은 무기를 들라는 부름이 아닙니다. 그것은 "희망이 보일 때 즐거워하고 고난이 있을 때 참으면서" 인류의 공통된 적인 독재와 가난, 질병, 그리고 전쟁에 대항해서 오랫동안 긴 싸움의 짐을 지라는 부름입니다.

★ ★ ★

이러한 적들을 상대로 동서남북에서 모든 인류를 위해 한층 더 유익한 삶을 보장할 수 있는 웅대하고도 세계적인 동맹을 형성할 수 있지 않겠습니까? 그리고 이 역사적인 노력에 여러분도 참여하지 않으시겠습니까?

word tip!
beachhead 교두보 embattled 전투 태세를 찾춘

In the long history of the world, only a few generations have been granted the role of defending freedom in its hour of maximum danger. I do not **shank** from this responsibility - I welcome it. I do not believe that any of us would exchange places with any other people or any other generation. The energy, the faith, the devotion which we bring to this endeavour will **light** our country and all who serve it -- and the glow from that fire can truly light the world.

And so, my fellow Americans: ask not what your country can do for you - ask what you can do for your country.

My fellow citizens of the world: ask not what America will do for you, but what together we can do for the freedom of man.

Finally, whether you are citizens of America or citizens of the world, ask of us the same high standards of strength and sacrifice which we ask of you. With a good conscience our only sure reward, with history the final judge of our deeds, let us go forth to lead the land we love, asking His blessing and His help, but knowing that here on earth God's work must truly be our own.

세계의 오랜 역사를 통해 볼 때 가장 위험했던 시대에 자유를 수호할 역할을 담당했던 세대는 그리 많지 않았습니다. 본인은 지금 그 책임을 포기하지 않을 것입니다. 오히려 본인은 그것을 기쁘게 받아들이겠습니다. 또한 본인은 우리 중의 어느 누구도 다른 국민이나 다른 세대에 우리의 책임을 떠맡기기를 바랄 것이라고 생각하지도 않습니다. 우리가 이 노력에 바치는 정성과 신념과 헌신은 우리나라, 그리고 나라를 위해 일하는 모든 사람들의 앞길을 밝혀 줄 것입니다. 그리고 그 불에서 나오는 빛은 진정으로 온 세계를 밝혀 줄 수 있을 것입니다.

그러므로 국민 여러분, 여러분의 나라가 여러분을 위해 무엇을 해 줄 수 있는가를 묻지 말고, 여러분이 나라를 위해 할 수 있는 일이 무엇인가를 물어보십시오.

세계 시민 여러분, 미국이 여러분을 위해 무엇을 할 것인지를 묻지 말고 우리가 다 함께 인류의 자유를 위해 무엇을 할 수 있는지 물어봅시다.

★ ★ ★

끝으로, 여러분이 미국 시민이건 세계 시민이건 간에 우리가 여러분에게 요구하는 것과 똑같이 높은 수준의 강함과 희생을 여기에 모인 우리에게 요구해 봅시다. 단 하나의 확실한 보답인 양심을 가지고, 그리고 우리 행동의 최종 심판자인 역사와 함께, 이 사랑하는 나라를 이끌고 갑시다. 신의 축복과 신의 도움을 기원하면서, 이 땅 위에서 신이 하시는 일이 진정으로 우리 자신의 일이 되어야 한다는 것을 알도록 합시다.

word tip!
shank 떨어지다 light 밝히다

OBAMA SAYS: CHANGE